D1244382

Victor Hugo

El Jorobado de Notre Dame

NÓSTICA
editorial

EL JOROBADO DE NOTRE DAME

Título en la obra original: Nuestra Señora de París
Autor en la obra original: Victor Hugo
Adaptador-Compilador: Equipo Editorial Nóstica
Coordinador: Bruno Olcese
Edición y diagramación: Julio Vargas
Diseño de cubierta: Bruno Olcese

Editado por Nóstica Editorial S.A.C.
Jr. Ica 388 Of. 502 - Cercado de Lima (Frente al Teatro Municipal)
Celular: (511) 957664330
e-mail: **atencionalcliente@nosticaeditorial.com**
Primera edición. Tiraje: 1000 ejemplares - enero 2016

Impreso en los talleres de NÓSTICA EDITORIAL S.A.C.
Jr. Ica 388 Of. 502
Lima 01 / Lima - Perú

ISBN: 978-612-4129-82-7
Hecho el Depósito Legal en la Biblioteca Nacional del Perú
N° 2016-00758

Impreso en Perú — Printed in Perú

ÍNDICE

NOTA AÑADIDA A LA EDICIÓN DEFINITIVA (1832)

Erróneamente se ha anunciado que esta edición iba a ser aumentada con varios capítulos nuevos. Debía haberse dicho inéditos. Si al decir nuevos se entiende hechos de nuevo, los capítulos añadidos a esta edición no son nuevos. Fueron escritos al mismo tiempo que el resto de la obra, datan de la misma época y proceden de la misma inspiración, pues siempre han formado parte del manuscrito de Nuestra Señora de París. Además resulta difícilmente comprensible para el autor un posterior añadido de trozos nuevos a una obra de este tipo.

Estas cosas no se hacen a capricho. Una novela nace, según él, de una forma, en cierto modo necesaria, y ya con todos sus capítulos, y un drama nace ya con todas sus escenas. No se crea que queda nada al arbitrio en las numerosas partes de ese todo, de ese misterioso microcosmo que se llama drama o novela. El injerto o la soldadura prenden mal en obras de este carácter que deben surgir de un impulso único y mantenerse sin modificaciones.

Una vez terminada la obra, no cambiéis de opinión, no la modifiquéis. Cuando se publica un libro, cuando el sexo de la obra ha sido reconocido y proclamado, cuando la criatura ha lanzado su primer grito, ya ha nacido, ya está ahí, tal y como es, ni el padre ni la madre podrían ya cambiarla, pues pertenece ya al aire y al sol y hay que dejarla vivir o morir tal cual es. ¿Que el libro no está conseguido? ¡Qué se le va a hacer! No añadáis ni un solo capítulo a un libro fallido. ¿Que está incompleto? Habría que haberlo completado al concebirlo. No conseguiréis enderezar un árbol torcido. ¿Que vuestra novela es tísica?, ¿que no es viable?, pues no conseguiréis insuflarle el hálito que le falta. ¿Que vuestro drama ha nacido cojo? Creedme, no le pongáis una pierna de madera.

El autor muestra un gran interés en que el público conozca muy bien que los capítulos aquí añadidos no han sido escritos expresamente para esta reimpresión y que si, en ediciones precedentes no han sido publicados, se debe a razones muy sencillas.

Cuando se imprimía por primera vez Nuestra Señora de París, se extravió la carpeta que contenía esos tres capítulos y, o se escribían de nuevo, o se renunciaba a ellos. El autor consideró que los dos únicos capítulos—de los tres extraviados— que podrían haber tenido cierto interés por su extensión, se referían al arte y a la historia y que, por tanto, no afectaban para nada al fondo del drama y de la novela. El público no habría echado en falta su desaparición y únicamente él, el autor, estaría en el secreto de esta omisión; así, pues, decidió suprimirlos y, puestos a confesarlo todo, hay que decir también que, por pereza, retrocedió ante la tarea de rehacer esos tres capítulos perdidos. Le habría sido más fácil escribir una nueva novela.

Pero ahora, encontrados ya, aprovecha la primera ocasión para restituirlos a su sitio. Esta es, pues, su obra completa tal como la soñó y tal como la escribió, buena o mala, frágil o duradera, pero como él la desea.

No hay duda de que estos capítulos tendrán poco valor a los ojos de lectores, muy juiciosos por lo demás, que sólo han buscado en Nuestra Señora de París el drama, la novela, pero quizás otros lectores no consideren inútil estudiar el pensamiento estético y filosófico oculto en el libro, y se complazcan, al leerlo, en desentrañar algo más que la novela en sí misma.

París, 20 de octubre de 1832

I. LA GRAN SALA

Hace hoy trescientos cuarenta y ocho años, seis meses y diecinueve días que los parisinos se despertaron al ruido de todas las campanas repicando a todo repicar en el triple recinto de la Cité, de la Universidad y de la Ville.

De aquel 6 de enero de 1482 la historia no ha guardado ningún recuerdo. Nada destacable en aquel acontecimiento que desde muy temprano hizo voltear las campanas y que puso en movimiento a los burgueses de París; no se trataba de ningún ataque de borgoñeses o picardos, ni de ninguna reliquia paseada en procesión; tampoco de una manifestación de estudiantes en la Viña de Laas ni de la repentina presencia de Nuestro muy temido y respetado señor, el Rey, ni siquiera de una atractiva ejecución pública, en el patíbulo, de un grupo de ladrones o ladronas por la justicia de París.

Lo que aquel 6 de enero animaba de tal forma al pueblo de París, era la coincidencia de la doble celebración, ya de tiempos inmemoriales, del día de Reyes y la fiesta de los locos.

Ese día había de encenderse una gran hoguera en la plaza de Grévez, plantar el mayo en el cementerio de la capilla de Braque y representar un misterio en el palacio de justicia.

La víspera, al son de trompetas y tambores, criados del preboste de París, ataviados de hermosas sobrevestas de camelote color violeta, y con grandes cruces blancas bordadas en el pecho, habían ya hecho el pregón por las plazas y calles de la villa y una gran muchedumbre de burgueses y de burguesas acudía de todas partes, desde horas bien tempranas, hacia alguno de estos tres lugares mencionados, escogiendo según sus gustos la fogata, el mayo o la representación del misterio.

La afluencia de gente se concentraba sobre todo en las avenidas del Palacio de justicia pues se sabía que los embajadores flamencos, llegados dos días antes, iban a asistir a la representación del misterio y a la elección del papa de los locos que se iba a realizar precisamente en aquella misma sala.

La plaza del palacio, abarrotada de gente, ofrecía a los curiosos que se encontraban asomados a las ventanas, la impresión de un mar, en donde cinco o seis calles, como si de otras tantas desembocaduras de ríos se tratara, vertían de continuo nuevas oleadas de cabezas. Las oleadas de tal gentío, acrecentadas a cada instante, chocaban contra las esquinas de las casas, que surgían, como si de promontorios se tratara, en la configuración irregular de la plaza.

La capilla aún nueva, construida hace apenas seis años, tenía ese gusto encantador de arquitectura delicada, de escultura admirable, finamente cincelada, que define en Francia el fin del gótico y continúa hasta mediados del siglo XV1 en esas fantasías esplendorosas del Renacimiento. El pequeño rosetón abierto sobre el pórtico era una obra maestra de delicadeza y de gracia, habríase dicho una estrella de encaje.

En el centro de la sala frente a la puerta, se alzaba un estrado de brocado de oro, adosado al muro, en donde se había abierto un acceso privado mediante una ventana al pasillo de la cámara dorada para la legación flamenca y los demás invitados de relieve a la representación del Misterio.

En esa mesa de mármol, según la tradición, debía representarse el misterio y a para ese fin había sido ya preparada desde la mañana. La rica plancha de mármol muy rayada ya por las pisadas, sostenía una especie de tablado bastante alto, cuya superficie superior, bien visible desde toda la sala, debía servir de escenario y cuyo interior, disimulado por unos tapices, serviría de vestuario a los diferentes personajes en la obra. Una escalera, colocada sin disimulo por fuera, comunicaría el escenario y el vestuario y sus peldaños asegurarían la entrada y salida de los actores. No había personaje alguno, ni peripecia, ni golpe de teatro que no necesitara servirse de aquella escalera ¡inocente y adorable infancia del arte y de la tramoya!

Cuatro agentes del palacio, guardianes forzosos de todos los placeres del pueblo, tanto en los días de fiesta como en los días de ejecución, permanecían de pie en cada una de las cuatro esquinas de la mesa de mármol.

La representación tenía que comenzar tras la última campanada de las doce del mediodía en el gran reloj del palacio. No era muy pronto precisamente para una representación teatral, pero había sido preciso acomodarse al horario de los embajadores flamencos.

Ocurría, sin embargo, que todo aquel gentío estaba allí desde muy temprano y no pocos de aquellos curiosos temblaban de frío desde el amanecer ante la gran escalinata del palacio. Los había incluso que afirmaban haber pasado la noche a la intemperie, tumbados ante el gran portón, para tener la seguridad de entrar los primeros. La muchedumbre crecía por momentos y, como el agua que rebasa el nivel, empezaba a trepar por los muros, a agolparse en torno a los pilares, a amontonarse en las cornisas, en las balaustradas de los ventanales y en todos los salientes y relieves de la fachada. Por todo ello las molestias, la impaciencia, el aburrimiento, la libertad de un día de cinismo y de locura, las discusiones que surgían por un brazo demasiado avanzado, un zapato demasiado apretado el cansancio de la larga espera, daban ya, bastante antes de la hora de llegada de los embajadores, un ambiente enconado y agrio al bullicio de toda aquella gente encerrada, apiñada, empujada, pisoteada y sofocada. No se oían más que quejas e improperios contra los flamencos y el preboste de los comerciantes, contra el cardenal de Borbón y el bailío de palacio, contra Margarita de Austria, contra los alguaciles, o contra el frío, el calor, o el mal tiempo, o el obispo de París o contra el papa de los locos, las pilastras las estatuas... contra una puerta cerrada o una ventana abierta. Todo ello para gran diversión de bandas de estudiantes o de lacayos que, diseminados entre la multitud, se aprovechaban del malestar general para, con sus bromas, provocar y aguijonear, por decirlo de alguna manera, aquel mal humor general.

II. MAESE JACQUES COPPENOLE

Mientras el pensionario de Gante y su eminencia el cardenal cambiaban una profunda reverencia y algunas palabras en voz baja, un hombre alto, fornido de hombros y de cara larga, pretendía entrar al mismo tiempo que Guillermo. Habríase dicho un dogo persiguiendo a un zorro. Su gorro de fieltro y su chaqueta de cuero chocaban con los cuidados terciopelos y las finas sedas de su entorno. Juzgándole por un palafrenero cualquiera, el ujier le detuvo.

—¡Eh, amigo! ¡No se puede pasar!

El hombre de la chaqueta de cuero le rechazó de un empujón.

—¿Qué pretende este tipo? —preguntó con un tono de voz, que atrajo la atención de la sala hacia el extraño coloquio. ¿No ves quién soy?

—¿Vuestro nombre?— preguntó el ujier.

Jacques Coppenole.

—¿Vuestros títulos?

—Calcetero; del comercio conocido por Las trey cadenetar, en Gante.

El ujier quedó desconcertado. Pase el anunciar concejales y burgomaestres, pero anunciar a un calcetero... era demasiado. El cardenal estaba sobre ascuas. El pueblo escuchaba y miraba. Dos días llevaba su eminencia intentado peinar a aquellos osos flamencos para hacerlos un poco más presentables en público; pero aquella inconveniencia era ya demasiado. Guillermo Rym, con su fina sonrisa, se acercó al ujier.

—Anunciad a maese Jacques Coppenole, secretario de los concejales de la villa de Gante—le sugirió en voz baja.

—Ujier— confirmó el cardenal en alta voz,—anunciad a maese Jacques Coppenole, secretario de los concejales de la ilustre villa de Gante.

Esto fue un error porque Guillermo Rym, él solo, habría arreglado aquel embrollo, pero Coppenole había oído las palabras del cardenal.

—¡Ni hablar! ¡Por los clavos de Cristo!—gritó con su voz de trueno.— ¿Jacques Coppenole, calcetero! ¿Me has oído, ujier?, ni más ni menos. ¡Por los clavos de Cristo! Calcetero es bastante importante y más de una vez monseñor el archiduque ha venido a mi comercio.

Estallaron risas y aplausos, pues cosas así las comprende y las aplaude en seguida el pueblo de París.

Así que los personajes continuaron su representación con la esperanza de Gringoire de que su obra fuera oída hasta el final y esta esperanza y otras de sus ilusiones se vieron decepcionadas porque, si bien se había conseguido restablecer el silencio entre el auditorio, no se había fijado Gringoire en que, cuando el cardenal dio la orden de proseguir, el estrado no se encontraba aún lleno y que, después de la legación flamenca, seguían llegando nuevos personajes integrantes del cortejo. Gringoire seguía, pues, con su prólogo mientras el ujier iba anunciando nombres y cargos de los recién llegados, organizándose, como es lógico, un bullicio considerable.

Imaginemos el efecto que pueden producir durante la representación de una obra de teatro los chillidos de un ujier, lanzando a voz en grito, entre dos rimas, cuando no entre dos hemistiquios, paréntesis como éste:

—¡Maese Jacques Charmolue, procurador real en los tribunales de la Iglesia!

—¡Jehan de Harlay, escudero, caballero de la ronda y vigilancia nocturnas de la ciudad de París!

—¡Micer Galiot de Genoilhac, caballero, señor de Brussac, jefe de los artilleros del rey!

—¡Maese Dreux Raguier, inspector de las aguas y bosques del rey nuestro señor en los territorios franceses de Champagne y de Brie!

—¡Maese Denis Lemercier, encargado de la casa de ciegos París!... etcétera.

Con la llegada de todos los embajadores había cesado aquel brutal monólogo del ujier y el poeta pudo por fin respirar. Los actores habían ya recomenzado valientemente, cuando he aquí que maese Coppenole, el calcetero, se levanta de pronto y, ante la atención de toda la sala, Gringoire le oyó pronunciar esta abominable arenga.

—Señores burgueses y terratenientes de París, ¡En el nombre de Dios! Me estoy preguntando qué hacemos aquí. ¡Si al menos nos hubieran dado una danza morisca o algo por el estilo! A mí me habían hablado de otra cosa; me habían prometido una fiesta de locos con la elección de un papa. También nosotros tenemos nuestro papa de los locos en Gante y en esto ¡voto al diablo!, no os vamos a la zaga. Os voy a decir cómo lo hacemos: nos reunimos, como vosotros, un gentío enorme, y luego, uno por uno, van metiendo su cabeza por un agujero, que da al lugar en donde se encuentra el público, y comienzan a hacer muecas. El que haya hecho la mueca más fea queda nombrado papa por aclamación popular. Os aseguro que es muy divertido. ¿Queréis elegir vuestro papa a la manera de mi tierra? Siempre será menos latoso que escuchar a estos charlatanes quienes, por cierto, también podrán entrar en el juego, si se deciden a hacer su mueca en el agujero. ¿Qué dicen a esto, señores burgueses? Hay aquí suficiente muestra grotesca de ambos sexos para divertirnos a la flamenca y somos lo suficientemente feos para hacer bonitas muecas.

Gringoire le habría respondido si la indignación, la cólera y la estupefacción, no le hubiesen dejado mudo. Pero, como además la propuesta del popular calcetero fue acogida con tan enorme entusiasmo por los burgueses halagados al oírse llamar terratenientes todo habría resultado inútil. No había más que seguir la corriente y Gringoire se cubrió la cara con las manos, lamentando no disponer de un manto, para taparse la cabeza como el Agamenón de Tumanto.

III. QUASIMODO

En un abrir y cerrar de ojos todo se preparó para poner en práctica la idea de Coppenole. Burgueses, estudiantes y curiales se pusieron a trabajar y como escenario para las muecas se eligió una pequeña capilla que se hallaba frente a la mesa de mármol. Después se rompió uno de los cristales del bello rosetón situado sobre la puerta, dejando libre un círculo de piedra por donde se decidió que los participantes deberían meter la cabeza. Para llegar a él bastaba con subirse a dos toneles, cogidos no se sabe en dónde y puestos uno sobre otro sin apenas estabilidad. Se reglamentó también que cada candidato, hombre o mujer (también podía elegirse una papisa), con el fin de que no se pudieran ver sus muecas antes de meter la cabeza por aquella lucera, se cubriera el rostro y lo mantuviera tapado en la capilla hasta el momento de su aparición. La capilla se llenó en muy poco tiempo con un buen número de concursantes tras los cuales se cerró la puerta.

Coppenole desde su sitio del estrado daba las órdenes, dirigía, lo arreglaba todo. En medio de aquel bullicio, el cardenal, tan desconcertado como Gringoire, so pretexto de resolver unos asuntos y de asistir a las vísperas, se retiró junto con su séquito, sin que la muchedumbre, tan vivamente agitada en el momento de su llegada, lamentara mínimamente su ausencia. Fue Guillermo Rym el único en advertirla. La atención popular, igual que hace el sol, proseguía su curso y recorría la sala de parte a parte, después de detenerse unos instantes en el centro. La mesa de mármol y el estrado habían atraído la atención, pero ahora le tocaba el turno a la capilla de Luis XI. Se había dado rienda suelta a la locura y ya no se veían más que flamencos y populacho.

Comenzaron las muecas. La primera cara que apareció por aquel agujero o tragaluz con párpados enrojecidos y con la boca tan abierta como unas fauces y con tantas arrugas en la frente como las botas de los húsares del imperio, provocó tan ruidosas risotadas, que el mismo Homero habría confundido a aquellos villanos con dioses del Olimpo. Pero aquella sala no era, ni mucho menos, el Olimpo y el pobre Júpiter de Gringoire lo sabía mejor que nadie. Se sucedieron la segunda, la tercera y otras muecas más, y siempre provocaban las risotadas y el jolgorio de la multitud. Era como si aquel espectáculo tuviera algo de embriagador o de fascinante difícil de ser transmitido al lector de nuestros días.

Habría que imaginarse una serie de rostros que presentaran sucesivamente todas las formas geométricas, desde el triángulo hasta el trapecio, desde el cono al poliedro, todas las expresiones humanas, desde la cólera hasta la lujuria; todas las edades, desde las arrugas de un recién nacido, hasta las de una vieja moribunda; todas las fantasmagorías religiosas, desde el fauno hasta Belcebú; todos los perfiles de animales, desde unas fauces hasta un pico desde el morro al hocico.

Aquella orgía era cada vez más propiamente flamenca. La gran sala no era sino un inmenso horno de desvergüenza y jovialidad, en donde cada boca era un grito, cada ojo un destello de luz, cada rostro una mueca y cada individuo una postura.

Todo allí gritaba y rugía; los extraños rostros que llegaban, uno tras otro, al rosetón a hacer sus muecas, eran como teas encendidas echadas en aquel enorme brasero que era la sala y, de todo aquel gentío en efervescencia, subía como el vapor de un horno, un rumor agrio, agudo, duro y silbante como las alas de un moscardón.

—¡Habla! ¡Maldición!

—¡Mira ésa! ¡Fíjate qué cara!

—¡Bueno! ¡No es para tanto!

—¡Otra! ¡Que salga otra!

—¡Guillemette Maugerepuis, mira ese! ¡Sólo le faltan los cuernos! ¿No será tu marido?

—¡Otro! ¡Que salga otro!

—¡Por la barriga del papa! ¡Qué cara es ésa!

—¡Eh, eh! ¡Eso es trampa! ¡Eso no es la cara! ¡Sólo se puede enseñar la cara!

—¡Esa condenada de Perrette Callebotte es capaz de todo! ¡Bravo! ¡Bravo!

—¡Uff! ¡Me ahogo!

—¡Mira! ¡A ése no le caben las orejas por el agujero!...

Gringoire, por su parte, después de aquellos momentos de abatimiento, había conseguido rehacerse y se mostraba decidido a hacer frente a cualquier adversidad.

—Continuad, repetía una vez más a sus comediantes, auténticas máquinas parlantes y, dando grandes pasos ante la mesa de mármol, le entraban deseos de acercarse también a la lucera de la capilla, aunque no fuera más que para darse el gusto de hacerle una mueca de burla a aquel pueblo ingrato.

«Nada de venganzas que serían indignas de nosotros; lucharemos hasta el fin», se repetía, «porque el influjo que la poesía tiene sobre el pueblo es muy grande y acabaré por interesarles. Veremos quién gana si las vulgaridades o las bellas letras.»

Pero, ¡ay!, sólo él quedó como espectador de su propia obra y ahora era todavía peor que antes pues ya sólo veía las espaldas de la gente. Esto no es totalmente cierto, pues aquel hombre paciente y rechoncho, a quien ya había consultado poco antes, miraba aún al escenario. Gisquette y Lienarda hacía ya rato que habían desertado.

Gringoire se emocionó hasta el fondo de su corazón ante la fidelidad de aquel espectador y se acercó a él para hablarle, pero hubo de sacudirle fuertemente, pues el pobre se había adormilado, apoyado en la balaustrada.

—Muchas gracias, señor—le dijo Gringoire.

—¿De qué señor? —contestó el otro con un bostezo.

—Ya me doy cuenta de que todo ese ruido os impide oír a gusto la obra—le dijo Gringoire. Tranquilizaos porque os prometo que vuestro nombre pasará a la posteridad. ¿Cómo os llamáis?

—Renault Château, guardasellos del Châtelet de Paris, para serviros.

—Señor, sois aquí el único representante de las musas—dijo Gringoire.

—Muchas gracias; sois muy amable—añadió el guardasellos del Châtelet.

—Sois el único que ha escuchado la obra, ¿qué os ha parecido?

—Vaya—respondió el rechoncho magistrado, un tanto adormilado aún:—interesante, bastante buena en realidad.

Hubo de contentarse Gringoire con tal elogio pues una atronadora salva de aplausos, en medio de un griterío ensordecedor, puso fin a su conversación. Se había, por fin, elegido el papa de los locos.

—¡Viva!, ¡viva! —gritaba la multitud.

En efecto, la mueca que en aquel momento triunfaba en el hueco del rosetón era algo formidable.

Después de tantas caras hexagonales o pentagonales y heteróclitas que habían pasado por la lucera sin culminar el ideal grotesco, formado en las imaginaciones exaltadas por la orgía sólo la mueca sublime que acababa de deslumbrar a la asamblea habría sido capaz de arrancar los votos necesarios. Hasta el mismo maese Coppenole se puso a aplaudir y Clopin Trouillefou, que también había participado y sólo Dios sabe cuán horrible es la fealdad de su rostro se confesó vencido y lo mismo haremos nosotros, pues es imposible transmitir al lector la idea de aquella nariz piramidal, de aquella boca de herradura, de aquel ojo izquierdo, tapado por una ceja rojiza a hirsuta, mientras que el derecho se confundía totalmente tras una enorme verruga, o aquellos dientes amontonados, mellados por muchas partes, aquel belfo calloso por el que asomaba uno de sus dientes, cual colmillo de elefante; aquel mentón partido y sobre todo la expresión que se extendía por todo su rostro con una mezcla de maldad, de sorpresa y de tristeza. Imaginad, si sois capaces, semejante conjunto.

La aclamación fue unánime. Todo el mundo se dirigió hacia la capilla y sacaron en triunfo al bienaventurado papa de los locos y fue entonces cuando la sorpresa y la admiración llegaron al colmo, al ver que la mueca no era tal; era su propio rostro.

Más bien toda su persona era una pura mueca. Una enorme cabeza erizada de pelos rojizos y una gran joroba entre los hombros que se proyectaba incluso hasta el pecho. Tenía una combinación de muslos y de piernas tan extravagante que sólo se tocaban en las rodillas y, además, mirándolas de frente, parecían dos hojas de hoz que se juntaran en los mangos; unos pies enormes y unas manos monstruosas y, por si no bastaran todas esas deformidades, tenía también un aspecto de vigor y de agilidad casi terribles; era, en fin, algo así como una excepción a la regla general, que supone que, canto la belleza como la fuerza, deben ser el resultado de la armonía. Ése era el papa de los locos que acababan de elegir; algo así como un gigante roto y mal recompuesto.

Cuando esta especie de cíclope apareció en la capilla, inmóvil, macizo, casi tan ancho como alto, cuadrado en su base, el populacho lo reconoció inmediatamente por su gabán rojo y violeta cuajado de campanillas de plata y sobre todo por la perfección de su fealdad, y comenzó a gritar como una sola voz:

—¡Es Quasimodo, el campanero! ¡Es Quasimodo, el jorobado de Nuestra Señora! ¡Quasimodo, el tuerto! ¡Quasimodo, el patizambo! ¡Viva! ¡Viva!

Fíjense si el pobre diablo tenía motes en donde escoger:

—¡Que tengan cuidado las mujeres preñadas! —gritaban los estudiantes.

—¡O las que tengan ganas de estarlo! —añadió Joannes.

Las mujeres se tapaban la cara.

—¡Vaya cara de mono! —decía una.

—Y seguramente tan malvado como feo—añadió otra.

—Es como el mismo demonio—porfiaba una tercera.

—Tengo la desgracia de vivir junto a la catedral y todas las noches le oigo rondar por los canalones.

—¡Como los gatos!

—Es cierto; siempre anda por los tejados.

—Nos echa maleficios por las chimeneas.

—La otra noche vino a hacerme muecas por la claraboya y me asustó tanto que creí que era un hombre.

—Estoy segura de que se reúne con las brujas; la otra noche me dejó una escoba en el canalón.

—¡Uf! ¡Qué cara tan horrorosa tiene ese jorobado!

—Pues, ¡cómo será su alma!

Los hombres, por el contrario, aplaudían encantados.

Quasimodo, objeto de aquel tumulto, permanecía de pie a la puerta de la capilla, triste y serio, dejándose admirar.

Un estudiante, Robin Poussepain creo que era, se le acercó burlón, chanceándose de él y Quasimodo no hizo sino cogerle por la cintura y lanzarle a diez pasos por encima de la gente sin inmutarse y sin decir una palabra.

Entonces maese Coppenole, maravillado, se acercó a él.

—¡Por los clavos de Cristo! ¡Válgame San Pedro! Nunca he visto nadie tan feo como tú y creo que eres digno de ser papa aquí y en Roma. Al mismo tiempo, y un canto festivamente, le pasaba la mano por la espalda. Como Quasimodo no se movía, Coppenole prosiguió:

—Eres un tipo con quien me gustaría darme una comilona, aunque me costase una moneda nueva de doce tornesas. ¿Te hace?

Quasimodo no contestaba.

—¡Por los clavos de Cristo! ¿Pero eres sordo o qué?

Y en efecto, Quasimodo era sordo.

Sin embargo, estaba empezando a impacientarse por los modales de Coppenole y de pronto se volvió hacia él, con un rechinar de dientes tan terrible, que el gigante flamenco retrocedió como un buldog ante un gato. Se hizo entonces a su alrededor un círculo de miedo y de respeto de, por lo menos, unos quince pasos de radio. Una vieja aclaró entonces a maese Coppenole que Quasimodo era sordo.

—¡Sordo! —dijo el calcetero con una enorme carcajada flamenca.— ¡Por los clavos de Cristo! Es un papa perfecto.

—Yo le conozco—dijo Jehan, que había bajado por fin de su capitel para ver a Quasimodo de más cerca; es el campanero de mi hermano el archidiácono.

—¡Hola, Quasimodo!

—¡Demonio de hombre! —dijo Robin Poussepain, un tanto contusionado aún por su caída:—Aparece aquí y resulta que es jorobado; se echa a andar y es patizambo; lo mira y es tuerto; hablas y es sordo. ¿Pues cuándo habla este Polifemo?

—Cuando quiere—respondió la vieja; es sordo de tanto tocar las campanas, pero no es mudo.

—Menos mal—observó Jehan.

—¡Ah! y tiene un ojo de más—añadió Pierre Poussepaia,

—No—dijo juiciosamente Jehan. Un tuerto es mucho más incompleto que un ciego, pues sabe lo que le falta.

—Mientras tanto todos los mendigos los lacayos, los ladrones, junto con los estudiantes habían ido a buscar en el armario de la I curia la tiara de cartón y la toga burlesca del papa de los locos.

Quasimodo se dejó vestir sin pestañear con una especie de docilidad orgullosa. Después le sentaron en unas andas pintarrajeadas, y doce oficiales de la cofradía de los locos se lo echaron a hombros. Una especie de alegría amarga y desdeñosa iluminó entonces la cara triste del cíclope, al ver bajo sus pies deformes aquellas cabezas de hombres altos y bien parecidos.

Después se puso en marcha aquella vociferante procesión de andrajosos para dar siguiendo la costumbre dar la vuelta por el interior de las galerías del palacio, antes de hacerlo por las plazas y calles de la Villa.

IV. LA ESMERALDA

Informamos encantados a nuestros lectores que durante toda esta escena Gringoire y su obra habían aguantado bravamente. Los actores, espoleados por él, habían continuado recitando y él no había cesado de escucharlos. Se había resignado ante aquel enorme vocerío y decidió llegar hasta el final con la esperanza de un cambio de actitud por parte del público. Este fulgor de esperanza se reavivó al comprobar cómo Quasimodo, Coppenole y el cortejo ensordecedor del papa de los locos salían de la sala, en medio de una gran algarada, seguidos ávidamente por el gentío que se precipitó tras ellos.

—Menos mal se dijo; ya era hora de que todos esos alborotadores se largaran. Por desgracia todos los alborotadores lo formaban todo el público y, en un abrir y cerrar de ojos, la sala quedó vacía.

A decir verdad, todavía quedaban algunos espectadores; unos dispersos, otros agrupados junto a los pilares. Mujeres, viejos o niños cansados del tumulto y del jaleo. Algunos estudiantes se habían quedado a caballo en las cornisas de las ventanas y miraban lo que ocurría en la plaza.

—Bueno—pensó Gringoire,—hay gente bastante para escuchar mi obra; no son muchos, pero es un público selecto, un público culto.

Poco después debía oírse una sinfonía, encargada de producir un gran efecto a la llegada de la Santísima Virgen y entonces él cayó en la cuenta de que se habían llevado la orquesta para la procesión de los locos.

—Saltaos esa parte—les dijo estoicamente.

Se acercó poco más tarde a un grupo de gentes que le parecía interesado en la obra y... he aquí una pequeña muestra de la conversación que cogió al vuelo.

—Maese Cheneteau,—¿conocéis la residencia de Navarra, la que pertenecía al señor de Nemours?

—Sí; ¿la que estaba frente a la capilla de Braque?

—Pues bien, el fisco se la ha alquilado a Guillaume Alixandre, el historiador, por seis libras y ocho sueldos parisinos al año.

—¡Cómo suben los alquileres!

—En fin—se dijo Gringoire;—seguro que hay otros que están escuchando con más atención.

—¡Camaradas!—gritó de pronto uno de aquellos tipos de la ventana:—¡La Esmeralda! ¡Está en la plaza la Esmeralda!

Estas palabras produjeron un efecto mágico y la poca gente que aún quedaba en la sala se precipitó hacia las ventanas, subiéndose a los muros para ver, al mismo tiempo que repetían: ¡la Esmeralda! ¡La Esmeralda!

Desde la plaza se oía un gran ruido de aplausos.

—Pero, ¿qué es eso de la Esmeralda?—preguntaba Gringoire, juntando las manos desesperadamente.—¡Dios mío! Parece que ahora les ha tocado el turno a las ventanas.—Volvióse hacia la mesa de mármol y vio que la representación se había interrumpido de nuevo. Era justo el momento en que Júpiter tenía que aparecer con su rayo; pero Júpiter se había quedado inmóvil, al pie del escenario.

—¡Miguel Giborne!—le gritó irritado el poeta. ¿Qué haces ahí? Te toca a ti. Sube ahora mismo.

—No puedo—dijo Júpiter; un estudiante acaba de llevarse la escalera.

Gringoire miró y vio que efectivamente era así y que esta circunstancia cortaba toda la comunicación de la obra entre el nudo y el desenlace.

—¡Qué simpático! —murmuró entre dientes. ¿Y para qué ha cogido la escalera?

—Para poder asomarse y así ver a la Esmeralda—respondió compungido Júpiter. Vino y dijo:—¡Anda! ¡Una escalera que no sirve para nada y se la llevó!

Fue el golpe de gracia. Gringoire lo recibió con resignación.

—¡Podéis iros todos al diablo! —dijo a los comediantes; y si me pagan a mí, cobraréis también vosotros.

Y se retiró cabizbajo, pero el último de todos, como un general que ha luchado con valor. Luego, mientras bajaba por las tortuosas escaleras del palacio, iba mascullando entre dientes:

—¡Maldita retahíla de asnos y buitres! ¡Vienen con la idea de asistir al misterio y... nada! Todo el mundo les preocupa: Clopin Trouillefou, el cardenal, Coppenole, Quasimodo... ¡el mismísimo demonio incluso!, pero de la Virgen María no quieren saber nada. Si lo llego a saber... ¡Vírgenes os habría dado yo a vosotros, papanatas! ¡Y yo que había venido con la idea de ver los rostros y sólo las espaldas he podido ver! ¡Ser poeta para tener el éxito de un boticario! En fin; también Homero hubo de pedir limosna por las calles de Grecia y Nasón murió en el exilio entre los moscovitas, pero... que me lleven todos los demonios si entiendo lo que han querido decir con su Esmeralda. ¿Qué significa esa palabra? Debe ser una palabra egipcia.

V. BESOS PARA GOLPES

Cuando Pierre Gringoire llegó a la plaza de Grève se encontraba aterido. Había dado un rodeo por el Pont aux Meuniers (Puente de los molineros) para así evitar la multitud concentrada en el Pont au Changes (Puente del cambio) y las pinturas de Jean Fourbault; pero las ruedas de los molinos del obispo le habían salpicado al pasar y su blusón estaba empapado. Le parecía además que el fracaso de su obra le hacía aún más friolero y por eso apresuró la marcha para llegar antes a la gran fogata de la fiesta que ardía con un fuego impresionante en medio de la plaza. Una multitud considerable se apiñaba a su alrededor.

—¡Malditos parisinos!—se dijo para sí pues Gringoire, como verdadero poeta dramático que era, utilizaba con alguna frecuencia estos monólogos.—¡Y además no me dejan acercarme al fuego, ahora que necesito un hueco al calor! ¡Mis zapatos se han calado y esos malditos molinos me han puesto pingando! ¡Demonio de obispo y sus molinos! ¡Ya me gustaría saber para qué quiere un obispo tantos molinos! ¿Querrá hacerse obispo molinero? Si para ello necesita mi bendición, se la doy a él, a su catedral y a sus molinos. ¿Me dejarán un sitio junto al fuego todos esos mirones? ¿Qué pintarán ahí? ¡Calentarse! ¡Pues vaya cosa! ¡Menudo espectáculo mirar cómo se van quemando un centenar de leños!

Fijándose un poco mejor se dio cuenta de que el círculo era un poco más ancho de lo necesario para calentarse y que toda aquella gente estaba allí concentrada por algo más que por el simple hecho de ver cómo se quemaba un buen montón de leños.

En un buen espacio libre, abierto entre el fuego y el gentío, una joven estaba bailando.

Tan fascinado se quedó ante aquella deslumbradora visión que, por muy poeta irónico o por muy filósofo escéptico que se considerara, no fue capaz de distinguir a primer golpe de vista si en realidad se trataba de un ser humano, de un hada o de un ángel.

No era muy alta, pero lo parecía por la finura de su talle, que se erguía atrevido con agilidad; era morena pero se adivinaba que a la luz del día su tez debía tener ese reflejo dorado de las mujeres andaluzas y romanas. Sus pies, pequeños, también parecían andaluces. Se diría que estaban presos, pero cómodos a la vez, en sus graciosos zapatos. Bailaba y giraba como un torbellino sobre una vieja alfombra persa y, cada vez que se acercaba en sus giros vertiginosos, sus ojos negros lanzaban destellos de luz.

Todo el mundo tenía sus ojos clavados en ella y la miraba boquiabierto. En efecto, al verla danzar así, al ritmo del pandero, con sus dos hermosos brazos jugando por encima de la cabeza, grácil y vivaz como una avispa, con su corpiño dorado, su vestido de mil colores lleno de vuelos, con sus hombros desnudos, sus piernas estilizadas que la falda, al hincharse, dejaba asonar con frecuencia; su pelo negro, su mirada de fuego, parecía una criatura sobrenatural.

—En verdad—pensaba Gringoire, es una salamandra, una ninfa, una diosa o una de las bacantes del monte Menaleo.—En aquel momento una de las trenzas de la «salamandra» soltó y una moneda de latón que la sujetaba rodó por el suelo. —¡Ah, no! —se dijo Gringoire: ¡Es una gitana!

Todo su entusiasmo se había esfumado.

Nuevamente se puso a bailar y cogiendo del suelo dos sables, se apoyó de punta en su frente, haciéndolos girar en un sentido, al tiempo que ella lo hacía en el otro. Se trataba de una gitana efectivamente y, a pesar del desencanto de Gringoire, el conjunto aquel que la gente estaba presenciando se hallaba cargado de belleza y de magia. La fogata iluminaba con su resplandor crudo y rojizo que se reflejaba, tembloroso en los rostros de la muchedumbre y en la frente morena de la joven. Al fondo de la plaza se adivinaba un reflejo pálido y vacilante de sombras, contra la vieja fachada negra de la Maison aux Piliers y contra los brazos de piedra de la horca.

Entre los mil rostros que este fulgor teñía de escarlata había uno que parecía absorto, como ningún otro, en la contemplación de la bailarina. Se trataba de una figura de hombre, austera, serena, sombría. Aquel hombre, cuya ropa quedaba oculta por la gente que le rodeaba, no tendría más allá de los treinta y cinco años; era calvo y apenas si algún mechón de pelo ralo y gris aparecía en sus sienes. Su frente se veía surcada de incipientes arrugas, pero los ojos hundidos denotaban una juventud extraordinaria, una vida ardorosa y una profunda pasión. Los mantenía prendidos en la gitana y mientras la alocada joven de dieciséis años bailaba y revoloteaba para satisfacción de todos, los pensamientos de aquel hombre se tornaban más sombríos. A veces una sonrisa y un suspiro se encontraban juntos en sus labios, resultando la sonrisa más dolorosa que el suspiro.

La muchacha se detuvo por fin, jadeante, y el pueblo la aplaudió con delirio.

—Djali—dijo de pronto la gitana.

Entonces Gringoire vio llegar a una linda cabrita blanca, espabilada, ágil, lustrosa, con cuernos dorados, pezuñas doradas y un collar dorado. No la había visto hasta entonces pues había estado echada todo el rato en un rincón de la alfombra, mirando bailar a su ama.

—¡Djali!, ahora te toca a ti—dijo la bailarina. Y sentándose entregó graciosamente el pandero a la cabra.

—¡Djali! —continuó;—¿en qué mes del año estamos?

La cabra levantó su pata delantera y golpeó una vez en el pandero. Era el primer mes del año, en efecto, y la multitud aplaudió.

—¡Djali! —dijo la joven volviendo el pandero al revés. ¿En qué día del mes estamos?

La cabrita levantó su patita dorada y golpeó seis veces el pandero.

—¡Djali! —prosiguió la gitana cambiando nuevamente la posición del pandero.—¿Qué hora es?

Djali golpeó siete veces el pandero, justo además en el instance en que daban las siete en el reloj de la Mairon aux Piliers.

La gente estaba maravillada.

—¡Hay brujería en esto! —dijo una voz siniestra en el gentío. Era la del hombre calvo, que no había apartado sus ojos de la gitana.

La joven se estremeció y se volvió hacia él, pero los aplausos de la gente sofocaron aquella exclamación; incluso consiguieron borrarla de su mente porque la gitana continuó con su cabra.

—¡Djali! ¿Cómo hace maese Guichard Grand Retny, el capitán de los pistoleros de la villa en la procesión de la Candelaria?

Djali, apoyándose en sus patas traseras, comenzó a balar y a andar con tal gracia y tan seriamente que todo el círculo de espectadores se echó a reír ante esta parodia del celo del capitán de los pistoleros.

—¡Djali! —prosiguió la joven, animada por su creciente éxito.— ¿Cómo predica maese Jacques Charmolue, procurador del rey en los tribunales de la Iglesia?

La cabra se puso nuevamente de pie, bailando y moviendo sus patas delanteras de una manera tan extraña que, exceptuando su mal francés y su mal latín, era el mismo Jacques Charmolue, con sus gestos, con su acento y en definitiva con sus mismas formas de actuar.

Y la multitud aplaudía a rabiar.

—¡Sacrilegio y profanación se llama a eso! —exclamó de nuevo la voz de aquel hombre.

La gitana se volvió de nuevo hacia él.

—¡Ah!, ¡es ese hombre ruin otra vez!,—y luego, haciendo una mueca con la boca, en un gesto que debía serle familiar, giro sobre sus talones y se dispuso a recoger en su pandereta los donativos del público.

Llovían las monedas, los ochavos, las de plata, grandes y pequeñas, sueldos... Cuando pasó ante Gringoire, éste se llevó la mano al bolsillo, en un gesto un canto distraído, y ella se detuvo.

—¡Demonios! —dijo el poeta, al no encontrar más que el fondo de su bolsillo, es decir, nada. Sin embargo, allí estaba la hermosa joven mirándole con sus negros ojos, mientras esperaba con la pandereta tendida hacia él. Gringoire sudaba la gota gorda. El Perú le habría dado, si lo hubiera tenido en el bolsillo, pero Gringoire no tenía el Perú, ni tan siquiera se había aún descubierto América.

Por suerte, un pequeño incidente fortuito vino a sacarle de apuros.

—¡Quieres largarte ya, saltamontes egipcio! —gritó una voz agria, desde el lado más sombrío de la plaza.

La joven se volvió asustada. No se trataba ahora de la voz de aquel hombre calvo, sino de una voz de mujer, con tinte de maldad.

Aquel grito que canto asustó a la gitana provocó sin embargo la risa de un grupo de niños que rondaba por allí.

—Es la prisionera de la Tour Roland—decían entre risas;—es la gruñona de la Sachette; seguro que aún no ha cenado; dadle alguna sobra del convite de la ciudad—y todos se dirigieron hacia la Maiton aux Piliers.

Gringoire aprovechó aquel momento de duda y turbación de la bailarina para desaparecer. Los gritos de los críos le recordaron su vientre vacío y corrió hacia la mesa del banquete, pero las piernas de aquellos pilluelos eran más rápidas que las suyas y, cuando llegó, habían ya arrasado con todo y no quedaba ni un triste pastelillo de los de a cinco perras la libra. Sólo se veían en la pared unas esbeltas flores de lis, entremezcladas con algún rosal, pintadas hacia 1434 por Mathieu Biterne. ¡Como cena era bien poco!, y resultaba muy fastidioso acostarse sin cenar aunque, bien mirado, peor era no cenar y no tener en dónde dormir. Ése era su problema: ni pan ni techo. Se veía acosado por doquier y la fortuna no se le mostraba nada propicia.

En el centro de toda esta multitud, los grandes dignatarios de la cofradía de los locos llevaban sobre sus hombros unas andas más recargadas de cirios que el relicario de Santa Genoveva en época de peste. Sobre las andas resplandecía con báculo, capa y mitra, el nuevo papa de los locos, el campanero de Nuestra Señora, Quasimodo el jorobado.

Es muy difícil hacerse una idea del grado de regocijo orgulloso al que había llegado, en el trayecto del palacio a la Gréve, el repulsivo y triste rostro de Quasimodo. Era sin duda la primera satisfacción de amor propio jamás experimentada por él pues hasta entonces sólo humillaciones había recibido, o desdén por su condición o por lo repulsivo de su persona. Por muy sordo que fuera, no cabe duda de que saboreaba, como auténtico papa, todas las aclamaciones de la multitud, a la que odiaba porque también él se sentía odiado por ella.

¡Poco le importaba que sus súbditos se redujeran a un montón de locos, tullidos, ladrones o mendigos! Daba igual pues, en cualquier caso, constituían un pueblo y él era su soberano y por ello tomaba en serio todos aquellos aplausos burlones, aquellas deferencias grotescas, entre los que podía entreverse un cierto trasfondo de miedo real entre el gentío, pues el jorobado era un gigantón y, aunque zambo, era bastante ágil y también irascible a pesar de su sordera; tres cualidades para moderar lo ridículo.

Era difícil, por otra parte, conocer si el nuevo papa de los locos era consciente de sus propios sentimientos y de los que él mismo inspiraba en la gente, pues el espíritu que habitaba su cuerpo fallido debía ser forzosamente algo incompleto y sordo también.

Por eso sus impresiones, al verse así, ante la gente, eran muy confusas a imprecisas. Lo que dominaba más claramente era una sensación de orgullo y su manifestación más clara era la alegría. Existía como un halo en torno a aquella sombría y contrahecha criatura.

Por todo esto hubo miedo y sorpresa cuando, en el momento en que Quasimodo, ebrio de orgullo, pasaba triunfalmente ante la Maison aux Piliers, un hombre surgió de pronto de entre el gentío y le arrancó de las manos con un gesto de cólera el báculo de madera dorada, representación de su loca dignidad papal. Aquel hombre tan temerario era el personaje calvo que se encontraba poco antes entre los espectadores que admiraban a la gitana, y que la había dejado helada al proferir aquellas palabras de amenaza y odio.

Llevaba ropa de eclesiástico y hasta Gringoire, que no le había reconocido hasta entonces, se fijó en él al salir de entre el gentío.

—¡Anda! —dijo con sorpresa,—¡pero si es mi maestro en ciencias, don Claude Frollo, el archidiácono! ¿Qué diablos está haciendo con ese horrible tuerto? ¡Le va a destrozar Quasimodo!

Y efectivamente surgió un grito de terror cuando el enorme Quasimodo se tiró de las andas. Muchas mujeres volvieron la vista para no ver cómo destrozaba al archidiácono. Se abalanzó sobre él pero, al verle así, de cerca, se echó de rodillas a sus pies. El clérigo le quitó la tiara, le rompió el báculo y le rasgó su capa de relumbrón.

Quasimodo siguió de rodillas, humilló la cabeza y juntó las manos en ademán de súplica. Luego se entabló entre ambos un extraño diálogo de gestos y de signos porque ninguno de los dos hablaba. El clérigo, de pie, irritado, con gesto amenazador a imperativo y Quasimodo prosternado humillado y suplicante, cuando la verdad es que, con un solo dedo, podría haber aplastado al clérigo.

Finalmente el archidiácono sacudió con violencia los hombros de Quasimodo y le hizo una seña para que se levantara y éste se levantó.

Entonces la cofradía de los locos, repuestos ya de esos momentos de estupor, quiso defender a su papa, tan bruscamente destronado. Los egipcios, los hampones y los curiales se acercaron vociferando en torno al clérigo.

Entonces Quasimodo se colocó ante él, protegiéndole, al mismo tiempo que enseñaba sus músculos y sus puños de atleta y, enfrentándose a los asaltantes, les mostró sus dientes, cual tigre enfurecido.

El clérigo recobró su sombría seriedad, hizo una seña a Quasimodo y se retiró, silencioso, precedido del gigantón que iba apartando a la gente a su paso.

Cuando llegaron al final de la plaza, después de atravesar la multitud, la nube de curiosos y de desocupados pretendió seguirlos; entonces Quasimodo se colocó detrás del archidiácono, mirando a la gente y marchaba de espaldas, corpulento, agresivo, monstruoso a hirsuto como él era; tensando sus músculos, pasándose la lengua por sus dientes de jabalí, gruñendo como una bestia salvaje y haciendo amago de abalanzarse sobre sus perseguidores con los gestos o con la mirada.

Desaparecieron los dos por una calleja estrecha y tenebrosa y nadie se arriesgó en su persecución, pues la nueva visión de Quasimodo rechinando los dientes daba la sensación de cerrar la entrada.

—¡Es algo increíble! —dijo Gringoire, pero, ¿en dónde diablos encontraré algo para cenar?

VI. LOS INCONVENIENTES DE IR TRAS UNA BELLA MUJER DE NOCHE POR LAS CALLES

Gringoire por lo que pudiera pasar, quiso seguir a la gitana. La había visto tomar, con su cabra, la calle de la Coutellerie y él había hecho lo mismo.

—¿Y por qué no? —se dijo.

Gringoire, filósofo práctico de las calles de París, se había dado cuenta de que nada es tan propicio al ensueño como seguir a una mujer bella sin saber a dónde va. Existe en esta abdicación voluntaria del libre albedrío, en esta fantasía, que a su vez se somete a otra fantasía, una mezcla de independencia fantástica y de obediencia ciega, un no sé qué intermedio entre la libertad y la esclavitud, que agradaba a Gringoire. En efecto, su espíritu era esencialmente mixto, complejo a indeciso, interesado en todos los temas y pendiente un poco de todas las propensiones humanas, pero neutralizando cada una de ellas con su contraria.

Le gustaba compararse a la tumba de Mahoma, atraída en sentidos contrarios por dos piedras de imán, dudando eternamente entre lo alto y lo bajo, entre la bóveda y el suelo, entre la caída y la elevación entre, el cenit y el nadir.

Si Gringoire viviera en nuestros días ¡qué bien sabría mantenerse en un término medio entre lo clásico y lo romántico!, pero no era lo suficientemente primitivo como para vivir trescientos años y era una lástima. Su ausencia es un vacío que hoy día lamentamos.

Por otra parte, para seguir por las calles a los transeúntes (y sobre todo a las transeúntes), cosa que Gringoire hacía con cierta frecuencia, lo mejor es no saber en dónde va uno a dormir.

Iba, pues, pensativo detrás de la muchacha, que aceleraba el paso y hacía ir al trote a su cabritilla al ver que la gente se recogía ya y que las tabernas, únicos establecimientos abiertos aquel día se iban cerrando.

Después de todo, iba pensando Gringoire, en algún lugar tendrá que dormir y las gitanas suelen tener buen corazón. ¡Quién sabe si...!, y él llenaba esos puntos suspensivos con no se sabe muy bien qué ideas peregrinas.

Y se iban cerrando las ventanas y Gringoire, distraído con las conversaciones, perdía el hilo de sus ideas.

Por suerte lo volvía a encontrar en seguida y enlazaba sin dificultad, gracias sobre todo a la bohemia que, con su cabra, marchaba por delante; eran dos delicadas finas y encantadoras criaturas, en las que admiraba sus pequeños pies, sus lindas formas, sus graciosos ademanes, confundiendo casi a las dos en su imaginación, al considerarlas mujeres por su inteligencia y su amistad y cabritillas por su ligereza y agilidad y por la destreza de sus andares.

Las calles se iban haciendo cada vez más oscuras y solitarias. Hacía bastante tiempo que había sonado el toque de queda y sólo se veía ya, muy de cuando en cuando, a un transeúnte por las calles o una luz en las ventanas.

Gringoire se había internado, siguiendo a la egipcia, en aquel dédalo inextricable de callejuelas, encrucijadas y callejones sin salida, que rodean el antiguo sepulcro de los inocentes y que se asemeja a un ovillo enmarañado por un gato.

—Desde luego estas callejuelas tienen muy poca lógica—decía Gringoire, perdido en esos mil caminos, que venían a desembocar en ellos mismos, y que la joven daba la impresión de conocer tan bien, moviéndose entre ellos con pasos ligeros sin la más pequeña duda.

Hacía ya un ratito que la joven se había dado cuenta de que la seguían y varias veces había vuelto hacia él su cabeza con cierta preocupación. Incluso una vez se había parado en seco y, aprovechando un rayo de luz que se escapaba de la puerta entreabierta de una panadería, le había mirado fijamente de arriba a abajo.

Después Gringoire había visto hacer a la gitana la mueca aquella que debía resultarle familiar, y había seguido su camino.

La mueca dio que pensar a Gringoire pues había burla y desdén en aquel gesto, hasta cierto punto gracioso, y por eso comenzó a bajar la cabeza y a contar los adoquines, siguiendo a la joven a una distancia mayor cuando, al doblar una calle, en donde momentáneamente la había perdido de vista, oyó un grito penetrante.

Apresuró el paso. La calle estaba totalmente a oscuras; sin embargo, una lamparita que ardía en una hornacina a los pies de la Virgen, en un rincón de la calle permitió a Gringoire distinguir a la gitana debatiéndose en los brazos de dos hombres que procuraban ahogar sus gritos. La cabritilla, asustada, bajaba los cuernos y se ponía a balar.

—¡Socorro! ¡A mí la ronda! ¡Socorro, guardianes! —gritó Gringoire al mismo tiempo que se dirigía valientemente hacia allí. Uno de los que sujetaban a la joven se volvió hacia él; era la formidable figura de Quasimodo.

Gringoire no emprendió la huida pero tampoco dio un paso más adelante.

Quasimodo se llegó hasta él y de un revés lo lanzó a cuatro pasos contra el empedrado; luego se adentró rápidamente hacia la oscuridad llevándose a la joven bajo el brazo como si fuera un echarpe de seda, seguido de su compañero; mientras la pobre cabra corría tras ellos balando quejumbrosa.

—¡Asesinos! ¡Socorro! —gritaba la desdichada gitana.

—¡Alto ahí, miserables! ¡Soltad a esa mujer! —dijo con voz de trueno un caballero que surgió de repente de una plazuela próxima. Se trataba de un capitán de los arqueros, armado de pies a cabeza y con un espadón en la mano.

Arrancó a la bohemia de los brazos de Quasimodo, estupefacto; la colocó de través en la silla de montar y en el momento en que el terrible jorobado, recuperado de la sorpresa, se lanzaba sobre él para recuperar a su presa, surgieron quince o más arqueros que seguían a su capitán armados todos con espadas.

Se trataba de un escuadrón de la guardia real que hacía la contrarronda por orden de micer Roberto d'Estouteville, guardián del prebostazgo de París.

Entre todos cercaron a Quasimodo, lo cogieron y lo ataron. Rugía, echaba espuma por la boca, mordía y, si no hubiera sido de noche, podemos estar seguros de que su horripilante cara, más repulsiva aún por hallarse encolerizado, habría puesto en fuga a todo el escuadrón. Pero, por la noche, carecía de su arma más temible; su fealdad.

Su compañero se escabulló durante la refriega.

La gitana se irguió con elegancia en la silla del oficial, apoyó sus dos manos en los hombros del capitán y le miró fijamente durante unos segundos, como encantada de su atractivo aspecto y de la ayuda que acababa de prestarle. Después, rompiendo a hablar la primera, le dijo haciendo más dulce aún su dulce voz: ¿Cómo os llamáis, señor gendarme?

—Capitán Febo de Cháteaupers para serviros, preciosa respondió el capitán irguiéndose.

Gracias—le dijo.

Y mientras el capitán se entretenía atusándose su bigote a la borgoñona, ella se deslizó hasta el suelo, desde el caballo, como una flecha que cae a tierra y huyó tan rápidamente, que un relámpago habría tardado más en desvanecerse.

—¡Por el ombligo del papa! —dijo apretando las ligaduras de Quasimodo. A fe mía que habría preferido quedarme con la mozuela.

—¡Qué queréis capitán! —dijo uno de los guardias. La pájara ha levantado el vuelo pero nos queda el murciélago.

VII. PROSIGUEN LOS INCONVENIENTES

Gringoire, aturdido por la caída, se había quedado en el suelo ante la hornacina de la Virgen que había en la calle y, poco a poco, iba recobrándose. Primero estuvo algunos minutos flotando, como medio perdido en una especie de semi inconsciencia, bastante atractiva, en donde la vaga representación de la gitana y de su cabra se confundían con el peso del puño de Quasimodo. Sin embargo, esta situación no se prolongó demasiado, pues sintió muy pronto una viva impresión de frío en la parte de su cuerpo que se encontraba en contacto con el empedrado y que acabó por espabilarle y sacar su espíritu a la superficie.

—¿De dónde me viene esta frialdad?—se preguntó bruscamente, y fue entonces cuando comprobó que se hallaba sobre una corriente de agua que fluía por la calle, procedente de las casas. —Demonio de cíclope jorobado—masculló entre dientes intentando levantarse, sin conseguirlo, pues se encontraba aún un tanto aturdido y demasiado magullado. Así que hubo de quedarse en el suelo, resignado, sonándose con la mano que le quedaba libre.

—¡Entre el fango de París! —pensaba, seguro ya de que aquello iba a ser su lecho «¿y qué hacer en un lecho sino meditar?».—El fango de París apesta pues debe contener cantidad de sales volátiles y vitrosas; eso es, al menos, lo que piensan maese Nicolás Flamel y los herméticos

Esta palabra le trajo súbitamente al espíritu la idea del archidiácono Claude Frollo y recordó la escena violenta que había entrevisto cuando la zíngara se debatía entre dos hombres. Había otro más con Quasimodo y la figura altiva del archidiácono se dibujó confusamente en su recuerdo.

—¡Sería muy extraño! —y comenzó a reconstruir sobre esa base y con esos datos un fantástico edificio de hipótesis, un castillo de cartas filosófico, para volver en seguida a la realidad, al sentirse de nuevo en contacto con el agua de la calle.

Aquel sitio se hacía cada vez más insoportable, pues cada molécula del agua que corría por la calle robaba otra molécula de calor a los riñones de Gringoire y el equilibrio entre la temperatura del cuerpo y la del arroyuelo aquel empezaba a establecerse de una manera bastante ruda.

Otro inconveniente totalmente distinto surgió de improviso pues un grupo de muchachetes, un grupo de esos pequeños salvajes que desde siempre han correteado por las calles de París con el nombre de pilluelos y que, ya cuando nosotros mismos éramos niños, nos tiraban piedras al salir de la escuela, porque no íbamos sucios ni desharrapados como ellos; una panda de estos rapaces se dirigía, entre risas y gritos, hacia la plaza en donde estaba Gringoire, sin importarles nada el sueño de los vecinos. Llevaban a rastras una especie de saco y, sólo con el ruido de sus zuecos, se habría despertado hasta un muerto.

Gringoire, que aún no lo estaba del todo, se incorporó a medias.

—¡Eh! ¡Annequin Dandéche! ¡Eh! ¡Jean Pincebourde!—chillaban a voz en grito;—el viejo Eustaquio Moubon, el viejo ferretero de la esquina, acaba de morirse y hemos cogido su jergón y vamos a hacer una hoguera con él; hoy es el día de los flamencos. Y fueron a tirar el jergón justo encima de Gringoire, hasta donde habían llegado sin haberle visto. Uno de ellos le sacó un puñado de paja y fue a encenderlo en la lamparilla de la Virgen.

—¡Dios me valga! —susurró Gringoire. ¡Pues no voy a pasar calor ni nada!

La situación era crítica ya que se encontraba entre el fuego y el agua; realizó un esfuerzo casi sobrenatural, como el de un falsificador que intenta escapar cuando quieren quemarle. Logró ponerse de pie y lanzando el jergón contra los pilluelos aquellos, se escapó.

—¡Santa María! —gritaron asustados;—es el fantasma del ferretero que ha vuelto—y también ellos echaron a correr.

Gringoire, quien también acabó en el mismo lugar siguiendo los pasos de Esmeralda, fue apresado y condenado a muerte por su intromisión y por escribir poesía. Gringoire se echó a temblar y se volvió hacia el lado de donde procedía el clamor. La multitud se separó y dio paso a una pura y resplandeciente figura. Era la gitana.

—¡La Esmeralda! —dijo Gringoire, estupefacto, en medio de sus emociones, sintiendo cómo esa palabra mágica era capaz de aglutinar todos los recuerdos del día.

Hasta en la corte de los milagros parecía ejercer su imperio y encanto aquella extraña criatura. A su paso, hampones y hamponas se ponían calmadamente en fila y hasta sus rostros brutales se iluminaban bajo sus miradas.

Se aproximó al sentenciado con paso ligero seguida por su cabrita Djali. Gringoire estaba ya más muerto que vivo. La Esmeralda le examinó un momento en silencio.

—¿Vais a ahorcar a este hombre? —preguntó a Clopin con mucha seriedad.

—Sí, hermana —le respondió el rey de Thunes;— a menos que le tomes por marido.

—Lo tomo —respondió.

En este punto Gringoire creyó firmemente que había estado soñando desde la mañana y que ésta no era sino la continuación de su sueño. La situación, aunque bastante graciosa, no era por ello menos violenta.

Soltaron el nudo corredizo y bajaron del escabel al poeta, el cual no tuvo más remedio que sentarse; tan viva era su emoción.

El duque de Egipto, sin pronunciar una sola palabra, trajo un cántaro de arcilla; la gitana se lo ofreció a Gringoire pidiéndole que lo lanzara contra el suelo. Así lo hizo, y la jarra se rompió en cuatro trozos, que era una costumbre de boda.

—Hermano —dijo entonces el duque de Egipto, imponiendo las manos en su frente:—ella es tu mujer; hermana, él es tu marido durante cuatro años. ¡Marchaos!

VIII. UNA NOCHE DE BODAS

Poco después nuestro poeta se encontraba en un pequeño aposento con bóveda de ojiva, cerrado y caliente, ante una mesa que parecía estar pidiendo alimentos a una alacena colgada al lado; con la perspectiva de una buena cama y frente a una bonita muchacha. La aventura le parecía, desde luego, obra de encantamiento y estaba empezando a considerarse un personaje de cuento de hadas, por lo que de vez en cuando miraba a su alrededor como buscando la carroza de fuego arrastrada por dos aladas quimeras; el único medio capaz de trasladarle en tan poco tiempo del averno al paraíso.

A veces miraba también con obstinación los agujeros de su jubón para asirse así a la realidad y poder seguir haciendo pie, pues ése era el único contacto con la sierra ya que su razón estaba lanzada hacia los cielos de la fantasía.

La muchacha no parecía prestarle mucha atención: se movía de aquí para allá, cambiando de sitio una silla, hablando con su cabra y haciendo de vez en cuando su graciosa mueca con la boca; por fin se sentó junto a la mesa y Gringoire pudo contemplarla a gusto.

Lectores: todos habéis sido niños alguna vez y quizás os consideráis felices de serlo aún. Sin duda, habéis perseguido en más de una ocasión (por mi parte los mejores días los he empleado en ello) de matorral en matorral, a la orilla de un arroyo en un día de sol, a alguna linda libélula, verde o azul, zigzagueante y rozando casi con su vuelo todas las ramas.

Conservaréis también el recuerdo de vuestro pensamiento amoroso y de vuestra mirada atraída hacia ese remolino azul y púrpura de sus alas cuyo centro era una leve forma flotante, apenas visible por la rapidez de sus movimientos. Recordad aquellas impresiones y podréis llegar a comprender lo que sentía Gringoire al contemplar en forma visible y palpable a la Esmeralda que hasta aquel momento sólo había logrado entrever a través de remolinos de danza, de canciones y de bullicio.

—Aquí está la Esmeralda —se decía cada vez más sumido en sus ensoñaciones.—Ésta es…—pensaba siguiéndola vagamente con la mirada,—¡una criatura celestial! ¡una bailarina callejera! ¡Tanto y tan poco! Ella ha sido quien le ha dado esta mañana el golpe de gracia a mi misterio y quien esta noche me salva la vida. ¡Mi ángel malo y mi ángel de la guarda! ¡Una hermosa mujer, desde luego!

Con esta idea en su cabeza y en sus ojos, Gringoire se acercó a la muchacha de una manera tan marcial y tan galante que la joven retrocedió.

—¿Qué queréis de mí?—le preguntó.

—¿Por qué me lo preguntáis, mi adorable Esmeralda? —le respondió Gringoire con un acento tan apasionado que hasta él mismo se sorprendía al oír su voz.

La gitana abrió más sus grandes ojos y dijo:

—No sé lo que queréis decir.

—¡Cómo! —repuso Gringoire enardeciéndose cada vez más y pensando que, después de todo, sólo tenía que habérselas con una virtud de la corte de los milagros.—¿No soy tuyo, mi dulce amiga?, ¿y tú no eras mía acaso? —le dijo asiéndola con toda ingenuidad por la cintura. La blusa de la gitana se deslizó entre sus manos como una anguila. Dio luego un salto hasta el otro extremo de la estancia; se agachó para erguirse a continuación con una navaja en la mano con cal rapidez que Gringoire no tuvo tiempo de ver de dónde la había sacado. Se mostraba excitada y altiva, con los labios apretados y resoplando por la nariz; sus mejillas se habían encendido y su mirada centelleaba. Al mismo tiempo su cabrita blanca se había colocado ante ella y hacía frente a Gringoire con sus dos bonitos cuernos, dorados y puntiagudos. Todo había tenido lugar en un abrir y cerrar de ojos.

La libélula se había transformado en avispa y estaba dispuesta a picar.

Nuestro filósofo estaba perplejo mirando alelado tanto a la cabra como a la muchacha.

—¡Virgen Santa!—exclamó cuando la sorpresa le permitió hacerlo. ¡Vaya par de flamencas!

—Debes ser un tipo muy osado.

—Perdón, señorita —añadió Gringoire con una sonrisa. ¿Por qué me habéis tomado entonces por marido?

—¿Habrías querido que lo dejara colgar?

—Entonces—siguió el poeta, desalentado ya de sus esperanzas amorosas, ¿sólo habéis pensado en salvarme de la horca al casaros conmigo?

—¿Y qué otro pensamiento podría haber tenido?

Gringoire se mordió los labios diciéndose:—Bueno, pues no soy tan triunfante como creía en las cosas de Cupido, pero entonces, ¿por qué haber roto aquel pobre jarro?

Todavía estaban prestos a la defensa la navaja de Esmeralda y los cuernos de la cabra.

Unos instantes más tarde había ya en la mesa un pan de centeno, una loncha de tocino, algunas manzanas rugosas y una jarra de cerveza. Gringoire se puso a comer con tal ímpetu que ante el tintineo furioso que hacía su tenedor de hierro al rozar contra la loza se habría dicho que todo su amor se había trocado en apetito.

La muchacha, sentada ante él, le miraba hacer en silencio, visiblemente abstraída por otros pensamientos que le provocaban a veces una sonrisa; al mismo tiempo su mano acariciaba la cabeza de la cabra que se hallaba suavemente apresada entre sus rodillas.

Gringoire sin embargo no se detuvo ahí.

—¿Cómo hay que hacer entonces para agradaros?

—Hay que ser un hombre.

—¿Y entonces, qué es lo que yo soy?

—Un hombre lleva yelmo en la cabeza, espada en la mano y espuelas de oro en los talones.

—Bueno—dijo Gringoire. Así que sin caballo no hay hombre que valga. ¿Amáis a alguien?

—¿Con amor verdadero?

—Con amor verdadero.

Permaneció pensativa un momento y respondió con una expresión muy particular.

—Lo sabré muy pronto.

—¿Por qué no esta misma noche? —solicitó con ternura el poeta:— ¿Por qué no a mí?

Ella le miró entonces gravemente.

—Sólo podría amar a un hombre que pudiera protegerme.

Gringoire se ruborizó y encajó la respuesta como pudo.

Era evidente que la joven quería aludir a la escasa ayuda que él le había prestado en la circunstancia crítica de hacía apenas dos horas. Entonces, semioculto entre otras vivencias de la noche, le surgió aquel recuerdo y se golpeó la frente.

—A propósito, señorita, perdonad mi distracción, pues debería haber comenzado por ahí. ¿Cómo os las habéis arreglado para libraros de las garras de Quasimodo?

La pregunta hizo estremecerse a la gitana.

—¡Oh! ¡Aquel horrible jorobado! —dijo cubriéndose el rostro con las manos y al mismo tiempo se echó a temblar como aterida de frío.

—Horrible, en efecto.

Gringoire seguía sin embargo con su pregunta.

—Pero, ¿cómo conseguisteis libraros de él?

La Esmeralda sonrió, luego suspiró y se quedó en silencio.

—Es muy bonita vuestra cabra —le dijo Gringoire.

—Es mi hermana —le respondió ella.

—¿Por qué os llaman la Esmeralda? —inquirió el poeta.

—No lo sé.

—Alguna razón habrá.

Entonces sacó de su pecho una especie de saquito oblongo que llevaba colgado al cuello mediante una cadena de cuentas de azabache que exhalaba un penetrante olor a alcanfor. Estaba recubierto de seda verde y llevaba en su centro un gran abalorio verde que imitaba a una esmeralda.

—Quizás sea a causa de esto—dijo.

Gringoire quiso tocar el saquito y la Esmeralda retrocedió. No le toques; es un amuleto y podrías romper el hechizo o éste perjudicarte a ti.

La curiosidad despertaba cada vez un mayor interés en el poeta.

—¿Quién os lo ha dado?

Ella le puso un dedo en la boca y guardó otra vez el amuleto en su seno. Gringoire seguía acosándola con preguntas a las que ella apenas contestaba.

—¿Qué quiere decir esa palabra, la Esmeralda?

—No lo sé —repetía.

—¿A qué lengua pertenece?

—Creo que al egipcio.

—Estaba seguro —dijo Gringoire:—¿No sois francesa?

—No lo sé.

—¿Conocéis a vuestros padres?

Entonces ella se puso a entonar una vieja melodía: Mi padre es el pájaro / Pájara es mi madre / paso el agua sin barca/ paso el agua sin barco. / Pájara es mi madre / mi padre es el pájaro.

—Está bien—dijo Gringoire,—¿qué edad teníais al llegar a Francia?

—Yo era muy pequeña.

—¿Vinisteis a París?

—No; a París viene el año pasado. Cuando entrábamos por la Puerta Papal vi volar por los aires la curruca de los cañaverales y me dije: el invierno va a ser duro.

—Y lo ha sido—dijo Gringoire, encantado de conseguir hacerla hablar.—Lo he pasado soplándome los dedos. ¿Tenéis acaso el don de la profecía?

—Ella volvió a su laconismo.

—No.

—Ese hombre al que llamáis el duque de Egipto, es el jefe de vuestra tribu.

—Sí.

—Pues ha sido él quien nos ha casado,—le hizo observar el poeta.

Ella volvió a hacer su mohín de siempre y dijo:

—Si ni siquiera conozco tu nombre.

—¿Mi nombre? ¿Quieres saberlo?; escucha: me llamo Pierre Gringoire.

—Pues yo conozco uno más bonito. —le dijo ella.

—¡No seáis mala!—contestó el poeta; pero no me importa, pues no me enfadaré. Quizás cuando me conozcáis mejor lleguéis a amarme. Gringoire se calló en espera de los efectos producidos por su perorata, pero la Esmeralda seguía con la vista fija en el techo.

—Febo—dijo a media voz, y luego volviéndose al poeta:—¿Qué quiere decir Febo?

Sin comprender muy bien la relación que pudiera haber entre su alocución y semejante pregunta, no se sintió molesto de poder dar nuevas pruebas de su erudición y respondió pavoneándose:

—Es una palabra latina que quiere decir Sol.

—¿Sol?—dijo ella.

—Es también el nombre de un apuesto arquero que era un dios—añadió Gringoire.

—¡Dios!—repitió la zíngara, imprimiendo a su acento un algo de ensoñación y de apasionamiento.

En aquel momento uno de sus brazaletes cayó al suelo. Gringoire se agachó presto para recogerlo y cuando se incorporó, la gitana y su cabra habían desaparecido. Oyó el ruido de un cerrojo al cerrarse. Era una pequeña puerta que comunicaba sin duda con una estancia vecina y que se cerraba por fuera.

—¡Si al menos me hubiera dejado una cama! —dijo nuestro filósofo.

Dio una vuelta a la estancia y no encontró ningún mueble apropiado para dormir excepto un arcón de madera, bastante largo con la tapa repujada y que al tumbarse daba a Gringoire más o menos la misma sensación que debió experimentar Micromegas al tumbarse sobre los Alpes.

—Bueno—se dijo, acomodándose como mejor pudo. Habrá que resignarse, pero la verdad que es una noche de bodas bien rara. ¡Qué lástima! Había en aquella boda del cántaro roto algo de ingenuo y de ancestral que me seducía.

IX. LAS ALMAS PIADOSAS

Dieciséis años antes del tiempo en que transcurre esta historia y en una hermosa mañana de domingo de Quasimodo, una criaturita había sido abandonada, después de la misa, en la iglesia de Nuestra Señora, en una tarima, junto al pórtico, a mano izquierda, frente a la gran imagen de San Cristóbal, a quien la estatua esculpida en piedra del caballero Antonio des Essarts contemplaba, arrodillado desde 1413, hasta que alguien se decidió a derribar al santo y al caballero. Era costumbre colocar en esa tarima a los niños abandonados y allí quedaban expuestos a la caridad pública.

Aquella especie de ser vivo echado sobre aquella tarima en la mañana de Quasimodo del año de gracia de 1467 parecía excitar en muy alto grado la curiosidad de un grupo considerable de gente, agolpado alrededor. El grupo estaba formado en buena parte por personas del bello sexo, aunque todas eran, más bien, mujeres mayores.

En primera fila, y más inclinadas sobre la tarima, se distinguían cuatro, con una especie de sotana y capuchón gris, que podían muy bien pertenecer a alguna piadosa cofradía; no veo por qué la historia no ha de transmitir a la posteridad los nombres de estas cuatro discretas y venerables señoras; eran Agnès la Herme, Jehanne de la Tarme, Henriette la Gaultière y Gauchére la Violette, viudas todas ellas y cofrades de la capilla Ptienne Haudry, salidas de la casa con permiso de la superiora, según los estatutos de Pierre d'Ailly para oír el sermón.

Pero, si bien estas hospitalarias mujeres de Étienne Haudry observaban de momento las normas de Pierre d'Ailly, violaban alegremente las de Michel de Brache y del Cardenal de Pisa que prescribían un inhumano silencio.

—¿Qué es eso, hermana?—decía Agnès a Gauchére, observando a la criaturita allí expuesta que lloraba y se retorcía asustada de tantas miradas.

—Pero, ¿adónde vamos a llegar—decía Johanne—si es así como hacen a los niños de ahora?

—Entiendo poco de niños—añadía Agnès, pero creo que debe ser pecado el mirar a éste.

—Pero es que no es un niño, Agnès.

—Es un mono fallido—observaba Gauchère.

—Es un milagro—comentó Henriette la Gaultilre.

— Es un verdadero monstruo abominable este supuesto niño abandonado—añadió Jehanne.

—Se desgañita como para dejar sordo a un chancre—decía Gauchére. ¡Cállate ya, chillón!

—¡Y pensar que es el señor de Reims quien envía esta monstruosidad al señor de París! —añadió la Gaultiére juntando las manos.

—Debe ser una bestia, un animal—decía Agnès la Herme, el producto de un judío con una cerda. Algo que no es cristiano y que por lo tanto hay que arrojar al agua o al fuego.

—Supongo que nadie querrá adoptarle—opinaba la Gaultière.

—¡Ah no, Dios mío!—exclamó Agnès. ¡Pobres nodrizas de niños abandonados; esas que viven en la calle que da al río, junto a la residencia del obispo! ¡Tener que amamantar a este pequeño monstruo! ¡Preferiría dar de mamar a un vampiro!

—¡Qué ingenua es esta pobre la Herme!—añadía Jehanne. ¿No os dais cuenta, hermana, que este monstruito no tiene menos de cuatro años y que le apetecería más un asado que vuestro pecho?

En efecto, no era ya un recién nacido aquel monstruito (nos costaría mucho encontrar otro nombre para él). Era una masa angulosa y en movimiento envuelto en un saco de tela con la marca de micer Guillaume Chartier, obispo de París por entonces, y del que nada más asomaba la cabeza; una cabeza deforme en la que únicamente se veía un bosque de cabellos rojos, un ojo, la boca y los dientes. El ojo lloraba, la boca chillaba y se diría que los dientes estaban prestos para morder. Aquel conjunto se debatía en el saco, ante el asombro del gentío cada vez más numeroso que se iba renovando continuamente.

Doña Aloïse de Gondelaurier, señora noble y rica que llevaba de la mano a una preciosa niña de unos seis años y que llevaba un largo velo prendido del cucurucho dorado de su tocado, se detuvo al pasar ante la tarima para observar un momento a la desgraciada criatura mientras su linda niña Flor de Lys de Gondelaurier, vestida de seda y terciopelo, deletreaba, indicándolo con su dedito, el letrero clavado en la madera de la tarima: Niños Expósitos.

—Realmente—dijo la dama, retirándose disgustada,—yo creí que aquí sólo se exponían niños—y dio media vuelta a la vez que echaba en el plato un florín de plata que tintineó entre las demás monedas atrayendo todas las miradas de las pobres beatas de la capilla Étienne Audry.

Momentos más tarde el grave y letrado Robert Mistricolle, protonotario del rey, pasó por allí con un enorme misal bajo un brazo y apoyada en el otro su mujer (Doña Guillemette la Mainesse), llevando así, a ambos lados, sus dos reguladores, el espiritual y el temporal.

—¡Un niño expósito!—dijo después de examinar el objeto;—seguro que lo han encontrado junto al muro del río Flageto (río del infierno en mitología griega).

—Sólo se le ve un ojo—observó la señora Guillemette; en el otro tiene una verruga.

—No es una verruga—contestó maese Robert Mistricolle; se trata de un huevo que encierra dentro otro demonio como él, que, a su vez tiene otro huevo más pequeño, que contiene, a su vez, otro diablo y así sucesivamente.

—¿Y cómo sabéis eso? —le preguntó Guillemette.

—Lo sé pertinentemente—afirmó el protonotario.

—Señor protonotario—preguntó Gauchère, ¿qué pronóstico hacéis de este niño abandonado?

—El más desgraciado de todos—respondió Mistricolle.

—¡Ay, Dios mío! —dijo una vieja de entre el auditorio ¡Con la terrible peste que hemos padecido el año pasado y que además se dice que los ingleses van a desembarcar en Harefleu!

—Y, a lo mejor, va a impedir que la reina venga a París en el mes de septiembre—dijo otra. ¡El comercio marcha ya tan mal!

—Soy de la opinión—intervino Jehanne de la Tarme—que sería mejor colocar a este brujo en un haz de leña que en esta tarima.

—¡Eso, eso!—En un haz de leña ardiendo—añadió la vieja.

—Eso sería lo más prudente—sentenció Mistricolle. Hacía cierto tiempo que un joven sacerdote escuchaba los comentarios de aquellas mujeres y las sentencias del protonotario. Tenía un aspecto grave, frente ancha y mirada profunda; apartó silenciosamente a los curiosos y, examinando al pequeño brujo, extendió su mano sobre él. Ya era hora, pues todas aquellas beatas se relamían imaginando aquel bonito haz de leña ardiendo.

—Adopto a este niño dijo el sacerdote y arropándole con su sotana se lo llevó, ante la mirada asombrada de la gente, y desapareció instantes más tarde por la Porte Rouge que daba acceso al claustro desde la iglesia.

Pasada la primera sorpresa, Jehanne de la Tarme dijo al oído de la Gaultiére:

—Ya os había dicho, hermana, que este joven cura, Claude Frollo, es un brujo.

X. CLAUDE FROLLO

Claude Frollo no era, en efecto, un personaje vulgar; pertenecía a una de esas familias que en el lenguaje impertinente del siglo pasado se llamaban indistintamente alta burguesía o pequeña nobleza. Su familia había heredado de los hermanos Paclet el feudo de Tirechappe, que dependía del obispo de París; veintiuna de las casas de esta heredad habían sido objeto de muchos pleitos. Como poseedor del mismo, Claude Frollo era uno de los siete veintiún señores con pretensiones a ese feudo sobre París y sus arrabales y durante mucho tiempo ha podido verse su nombre, inscrito en calidad de tal, entre el hotel de Tancarville, perteneciente al señor François le Rez, y el Colegio de Tours, en el cartulario de Saint Martin des Champs.

Sus padres le habían ya destinado desde niño al estado eclesiástico y a tal fin se le había enseñado a leer en latín y a bajar los ojos y a hablar en voz baja siendo aún muy niño; su padre le había internado en el colegio de Torchi, en la Universidad y allí había crecido entre misales y lexicones.

Era, por lo demás, un niño triste, grave y serio que estudiaba con gran entusiasmo y que aprendía muy rápido; no alborotaba excesivamente en los recreos y participaba rara vez en los jaleos de la calle Fouarre; no sabía, pues, lo que era dare alapar et capillor laniare y no había tenido la más mínima relación con las revueltas y manifestaciones de 1463 que se mencionan en los anales bajo el epígrafe de: «Sexto disturbio de la Universidad». No se burlaba casi nunca de los pobres estudiantes de Montagu, por sus cappetes, de donde les venía el nombre, ni de los becados del colegio de Dormans, por su tonsura rapada y su sobretodo de tres piezas de paño azul, verde y morado, azurini color et bruni como reza el documento del cardenal de las Cuatro Coronas. Era asiduo visitante, en cambio, de las grandes y pequeñas escuelas de la calle Jean de Beauvais. El primer estudiante que el abad de Saint Pierre de Val veía siempre al comenzar la lectura del derecho canónico era Claude Frollo; siempre estaba allí, frente a la cátedra, junto a un pilar de la escuela Saint Vendregesile, con su tintero de cuerno, mordisqueando su pluma, escribiendo en sus rodilleras gastadas y soplándose los dedos en invierno. El primer alumno que el doctor en decretales, micer Miles d'Isliers, veía llegar cada lunes por la mañana, sofocado, al abrirse las puertas de la escuela del Chef Saint Denis, era Claude Frollo. Por todo ello, a sus dieciséis años, el joven estudiante habría podido enfrentarse en teología mística a un padre de la Iglesia, a un padre de los concilios en teología canónica y en teología escolástica a un doctor de la Sorbona.

Superó igualmente todos los grados de licenciatura tesis y doctorado en artes. Estudió latín, griego, hebreo y triple santuario, muy raro en aquella época; le dominaba una auténtica fiebre de conocimientos y tenía un enorme empeño en atesorar ciencia.

A los dieciocho años había ya pasado las cuatro facultades y estaba convencido de que el único objetivo de esta vida era el saber.

Fue por aquel entonces cuando los excesivos calores del verano de 1466 provocaron aquella gran peste que se llevó a más de cuarenta mil criaturas en el vizcondado de París, entre los que hay que contar, dice Jean de Troyes, a «maese Arnoul, astrólogo del rey, que era un hombre de bien, conocedor y muy agradable». Había corrido el rumor por la Universidad de que la calle Tirechappe había sido particularmente devastada por la enfermedad, y era allí precisamente en donde residían, en su feudo, los padres de Claude. Acudió alarmado el joven estudiante a la casa paterna y se encontró con que los dos habían muerto la víspera. Un hermanito que tenía, todavía de pañales, vivía aún y estaba llorando abandonado en su cuna. Era la única familia que le quedaba, así que cogió al niño en brazos y salió cabizbajo y pensativo pues hasta entonces sólo había vivido inmerso en la ciencia y en adelante tendría que ocuparse de la vida.

Esta catástrofe provocó una profunda crisis en la existencia de Claude; huérfano, hermano mayor, cabeza de familia a los diecinueve años, se sintió muy bruscamente arrancado de sus fantasías de estudiante a la realidad de la vida. Entonces, lleno de piedad, se consagró apasionadamente a su hermano; circunstancia extraña y dulce esta de los afectos humanitarios en alguien que, como él, sólo se había hasta entonces preocupado por los libros.

Aquel afecto se desarrolló de una manera singular y, por tratarse de un alma nueva, fue casi como un primer amor. Separado desde la infancia de sus padres, a quienes apenas si había conocido, enclaustrado, emparedado casi entre sus libros, ávido sobre todo de estudiar y de aprender, pendiente hasta entonces de su inteligencia, que se dilataba con los conocimientos y atento a su imaginación que crecía con las lecturas, el pobre estudiante no había tenido tiempo de sentir su corazón y así, ese hermanito sin padre ni madre, ese niño caído bruscamente del cielo en sus brazos, hizo de él un hombre nuevo. Se dio cuenta de que existía en el mundo algo más que las especulaciones de la Sorbona y los poemas de Homero; de que el hombre necesita afectos, de que la vida sin ternura y sin amor es un engranaje seco y chirriante y llegó a figurarse, sólo a figurarse, pues estaba aún en esa edad en la que las ilusiones sólo son reemplazadas por otras ilusiones, que los vínculos de la sangre y de la familia eran los únicos indispensables y que un hermanito bastaba para colmar toda una vida.

Se entregó, pues, al amor de su pequeño Jehan con la pasión de un carácter maduro ya, ardiente y concentrado; aquella frágil criatura, bonita, rubia, sonrosada y de cabellos rizados, aquel huerfanito sin más apoyo que el de otro huérfano le conmovió hasta el fondo de sus entrañas y, acostumbrado como estaba a pensar, reflexionó mucho acerca de Jehan y con un cariño infinito. Se ocupó de él como de algo muy frágil y de gran valor; fue, en fin, para el niño mucho más que un hermano; se convirtió en una madre para él.

Como Jehan era aún niño de pecho cuando perdió a su madre, Claude tuvo que buscarle una nodriza. Desde entonces, comprendiendo que se había echado una pesada carga, tomó la vida muy en serio; el pensamiento de su hermanito se convirtió para él no sólo en distracción sino en el objetivo de sus estudios y decidió consagrarse por entero a un futuro del que tendría que responder ante Dios y resolvió no tener más esposa ni más hijo que la felicidad y la fortuna de su hermano y se afirmó, pues, más que nunca en su vocación religiosa. Sus méritos, su ciencia, su cualidad de vasallo inmediato del obispo de París, le abrían de par en par las puertas de la Iglesia. A los veinte años, por dispensa especial de la Santa Sede, ya era cura y tenía a su cargo, como el más joven de los capellanes de Nuestra Señora el altar.

Allí, sumido más que nunca en sus queridos libros que solamente dejaba para acercarse durante una hora a la heredad del Molino, aquella mezcla de sabiduría y de austeridad, tan rara a su edad, le había granjeado muy pronto el respeto y la admiración del claustro. Desde el claustro, su fama de sabio había trascendido al pueblo, que empezaba ya a considerarle un poco, cosa harto frecuente entonces, como brujo.

Fue el día de Quasimodo, en el momento en que volvía de decir la misa de perezosos en su altar, situado al lado de la puerta del coro que daba a la nave, a la derecha, y muy próximo a la Virgen, cuando se fijó en el grupo de viejas, que murmuraban en torno a la tarima de los niños abandonados.

Fue entonces cuando se aproximó a la desgraciada criatura tan odiada y tan amenazada. Su desamparo, su deformidad, su abandono, el recuerdo de su hermano, la idea que le vino repentinamente a su espíritu de que, si él moría, su querido Jehan podría también encontrarse miserablemente en aquella tarima de los niños abandonados; todo ello, agolpado a la vez en el corazón, le provocó una gran compasión y fue entonces cuando cogió al niño y se lo llevó.

Cuando sacó al niño de su envoltorio lo encontró muy deforme, en efecto; el pobre diablejo tenía una verruga en el ojo izquierdo, la cabeza casi unida directamente a los hombros, la columna vertebral combada, saliente el esternón y las piernas arqueadas. Así y todo traslucía vitalidad y, aunque resultara imposible el saber en qué lengua balbucía, sus gritos demostraban fuerza y salud. La compasión de Claude se acrecentó al comprobar aquellas deformidades y prometió en lo íntimo de su corazón educar a aquel niño por amor a su hermano a fin de que, cualesquiera que fueran las faltas que su hermano Jehan pudiera cometer, tuviera en su favor aquella obra de caridad hecha a su intención. Era como una inversión de buenas obras realizada a nombre de su joven hermano; era un pequeño caudal de buenos actos que deseaba reunirle por adelantado para el caso en que un día aquel muchachete careciera de esa moneda, que es la única admitida para el pago del viaje al paraíso.

Bautizó a su hijo adoptivo y le llamó Quasimodo, bien por coincidir con el día en que lo encontró o bien para definir con ese nombre hasta qué punto la pobre criatura aparecía incompleta y apenas esbozada pues, en efecto, Quasimodo, tuerto, jorobado y patizambo apenas si era un más o menos. (Quasimodo, en latín, significa: más o menos, aproximadamente.)

XI. IMMANIS PECORIS CUSTOS IMMANIOR IPSE

Era el año 1482 y para entonces Quasimodo había crecido y desde hacía ya varios años era el campanero de Nuestra Señora, gracias a su padre adoptivo, Claude Frollo, que, a su vez, había llegado a archidiácono de Josas, gracias a su superior micer Luis de Beaumocit, arzobispo de París en 1472, a la muerte de Guillaume Chartier, gracias a su patrón, Olivier le Daim, barbero del rey Luis XI, por la gracia de Dios.

Quasimodo era, pues, carillonero de Nuestra Señora.

Con el tiempo se había formado una especie de intimidad entre el campanero y la iglesia. Separado para siempre del mundo por la doble fatalidad de su nacimiento desconocido y de su naturaleza deforme, aprisionado desde la infancia en aquel doble cerco infranqueable, el pobre desgraciado se había acostumbrado a no ver nada en este mundo más allá de aquellos muros religiosos que le habían acogido bajo su sombra. Nuestra Señora había sido sucesivamente para él, a medida que iba creciendo y desarrollándose, el huevo, el nido, la casa, la patria, el universo.

Es verdad que existía una especie de armonía misteriosa preexistente ya entre Quasimodo y aquel edificio. Cuando, desde muy niño aún, se arrastraba torpemente y con mucho miedo bajo las tinieblas de sus bóvedas, se asemejaba, con su cara humana y su constitución animal, al reptil natural de aquellas losas húmedas y oscuras sobre las que la sombra de los capiteles románicos proyectaba formas extrañas.

Más tarde, cuando maquinalmente se colgó por primera vez de la cuerda de las torres y quedó suspendido de ella haciendo sonar la campana, le pareció a Claude, su padre adoptivo, que aquello provocaba en Quasimodo las reacciones de un niño cuando se suelta a hablar.

Y así fue como, poco a poco, desarrollándose siempre en el sentido de la catedral y viviendo y durmiendo en ella y no saliendo casi nunca de allí y aguantando noche y día su presión misteriosa, llegó a parecérsele tanto, a incrustarse de tal forma en ella que casi formaba ya parte integrante del edificio. Además daba la impresión de que no sólo era su cuerpo el que se había amoldado a la catedral, sino también su espíritu, pero resultaría muy difícil determinar en qué estado se encontraba aquel alma, qué pliegues había adquirido, qué forma había adoptado bajo aquella envoltura nudosa, en aquella vida salvaje, pues Quasimodo había nacido ya tuerto, jorobado y cojo y fue, gracias a una gran dedicación y a una inmensa paciencia, como Claude Frollo consiguió enseñarle a hablar. Pero una grave fatalidad iba unida al pobre niño abandonado: campanero de Nuestra Señora a los catorce años, un nuevo defecto vino a completar su perfección; las campanas le habían roto el tímpano y se había quedado sordo y así la única puerta de comunicación con el mundo que le había sido concedida por la naturaleza se le había cerrado bruscamente para siempre; y al cerrarse, se interceptó el único rayo de luz y de alegría que habría podido aún iluminar el alma de Quasimodo. Su alma se abismó en una noche profunda y la melancolía de aquel desgraciado se hizo incurable y total como su deformidad. Hay que decir también que su sordera le hizo, de alguna manera, mudo, pues, para no ser causa de burla en los demás, tan pronto como se vio sordo se sumió decididamente en un silencio que no rompía apenas, salvo alguna vez, cuando se encontraba solo. Ató voluntariamente aquella lengua que cantos esfuerzos había supuesto a Claude Frollo el desatar. Esto suponía que, cuando la necesidad le obligaba a hablar, su lengua se encontrara entumecida, torpe, como una puerta con los goznes oxidados.

Es cierto que el espíritu se atrofia en un cuerpo deforme y así Quasimodo apenas si sentía moverse ciegamente dentro de él un alma creada a imagen suya. Las impresiones de los objetos sufrían una refracción considerable antes de llegar hasta su pensamiento. Su cerebro era un medio muy especial: las ideas que lo atravesaban salían de él muy tergiversadas, pues la reflexión que procedía de esta refracción era necesariamente divergente y desviada.

De ahí las mil ilusiones ópticas, las mil aberraciones de juicio, las mil desviaciones por donde divagaba su pensamiento, unas veces alocado, y otras, idiotizado.

El primer efecto de esa fatal organización consistía en la deformación de las imágenes a través de su vista pues sus percepciones inmediatas eran escasas; el mundo exterior se le presentaba mucho más alejado que a nosotros.

El segundo efecto de su desgracia era el hacerle malo.

Era malo en efecto porque era salvaje y era salvaje porque era repulsivo. Existía una lógica en su naturaleza, como en la nuestra.

Su fuerza, desarrollada extraordinariamente añadía un punto más a su maldad.

Después de todo, sólo de mala gana volvía su rostro hacia los hombres; con su catedral tenía bastante. Estaba poblada de figuras de mármol, reyes, santos, obispos que al menos no se reían de él en sus narices y sólo tenían para él una mirada tranquila y benévola. Las demás estatuas, las de los monstruos y demonios, no sentían odio hacia él, hacia Quasimodo.

XII. EL PERRO Y EL DUEÑO

Existía sin embargo un ser humano hacia el que Quasimodo no manifestaba el odio y la maldad que sentía para con los otros y a quien amaba, quizás tanto, como a su catedral; era Claude Frollo.

La razón era muy sencilla; Claude Frollo le había recogido, le había adoptado, le había alimentado y le había criado. De pequeñito venía a refugiarse entre las piernas de Claude Frollo cuando los perros y los niños le perseguían ladrando. Claude Frollo le había enseñado a hablar, a leer y a escribir y haberle dado, en fin, la gran campana en matrimonio era como entregar Julieta a Romeo.

Por todo ello el agradecimiento de Quasimodo era profundo, apasionado, sin límites y aunque el rostro de su padre adoptivo fuese con demasiada frecuencia hosco y severo, aunque sus palabras fuesen habitualmente escasas, duras a imperativas, nunca aquella gratitud se había desmentido y el archidiácono tenía en Quasimodo al esclavo más sumiso, al criado más dócil y al guardián más vigilante. Cuando el desdichado campanero se quedó sordo se había establecido entre él y Claude Frollo un misterioso lenguaje de signos que sólo ellos dos comprendían, así que el archidiácono era el único ser humano con quien Quasimodo podía comunicarse. Sólo dos cosas había en este mundo con las que Quasimodo tuviera relación: Nuestra Señora y Claude Frollo.

Nada se podía comparar a la autoridad del archidiácono para con el campanero si no eran la dependencia del campanero para con el archidiácono. No habría sido necesaria más que una señal de Claude y la convicción de que aquello iba a agradarle para que Quasimodo se precipitara desde lo más alto de las torres de Nuestra Señora. Era algo admirable el ver que toda aquella fuerza física, tan extraordinariamente desarrollada en Quasimodo, se sometiera ciegamente a la disposición de otra persona; había en aquel hecho una devoción filial y una sumisión servil y también la fascinación de un espíritu para con otro. Se trataba de un torpe, pobre y burdo organismo que se mantenía con la cabeza baja y los ojos suplicantes, sometido a una inteligencia elevada y profunda, dominante y muy superior; existía agradecimiento por encima de todo.

Agradecimiento llevado a límites tan extremos que no sabríamos con qué compararlo pues esta virtud no es de las que cuenten con muchos ejemplos entre los hombres, así que diremos que Quasimodo amaba al archidiácono como jamás perro alguno o elefante o caballo haya amado a su dueño.

XIII. CONTINUACIÓN DE CLAUDE FROLLO

En 1482, Quasimodo tendría unos veinte años y Claude Frollo unos treinta y seis: el primero había crecido mientras el otro había envejecido.

Claude Frollo no era ya el sencillo estudiante del colegio Torchi, el tierno protector de un niño, el joven y soñador filósofo que tantas cosas sabía y que todavía ignoraba muchas más. Era un cura austero, grave y taciturno, pastor de almas; señor archidiácono de Josas, segundo acólito del obispo, encargado de los dos decanatos de Montlhery y de Châteaufort y de ciento sesenta y cuatro curatos rurales. Era un personaje imponente y sombrío ante quien temblaban los monaguillos de alba y roquete, los sacristanes, los cofrades de San Agustín, los clérigos de maitines de Nuestra Señora cuando pasaba lentamente bajo las altas ojivas del coro, majestuoso, pensativo, con los brazos cruzados y con la cabeza tan inclinada sobre el pecho que sólo se veía de su rostro su despejada frente.

Pero don Claude Frollo no había abandonado la ciencia ni tampoco la educación de su hermano pequeño esas dos tareas de su vida, aunque con el tiempo habían surgido algunas contrariedades en esas dos agradables ocupaciones. A la larga, dice Paul Diacre, el mejor tocino se vuelve rancio y así el pequeño Jehan Frollo, llamado du Moutin, por el lugar en donde se había criado, no había crecido siguiendo el camino que su hermano Claude había pretendido imprimirle. El hermano mayor querría haber contado con un alumno dócil, piadoso, docto y honrado pero el pequeño, como esos arbolitos que echan a perder el esfuerzo del jardinero y se vuelven testarudamente hacia el lado de donde les viene el aire y el sol, el hermano pequeño no crecía ni echaba ramas bellas y frondosas más que del lado de la pereza, de la ignorancia y de la buena vida. Era un verdadero demonio, muy desordenado, lo que hacía fruncir el ceño a don Claude, pero también simpático y sutil, circunstancias estas que celebraba alegremente el hermano mayor. Claude le había confiado al mismo colegio de Torchi en donde él mismo había pasado sus primeros años dedicado al estudio y al recogimiento y no dejaba de suponerle una gran pena el ver que, en aquel santuario en el que el nombre de Frollo había sido edificante, hoy fuera motivo de escándalo; por todo ello a veces hacía a Jehan reproches muy serios que éste se sacudía intrépidamente. Después de todo, como ocurre en todas las comedias, el golfillo tenía buen corazón, pero acabado el efecto del sermón, seguía haciendo tan tranquilamente las mismas trapisondas y golferías. Tan pronto se trataba de algún novato, al que había maltratado y zarandeado a guisa de bienvenida, alegre tradición cuidadosamente perpetuada hasta nuestros días, como de provocar a una banda de estudiantes que se habían, como era clásico, metido en una taberna, quasi clarsico excitati para acabar después apaleando al tabernero con «bastones ofensivos» y saqueando alegremente la taberna hasta destrozar los toneles de vino de la bodega.

A causa de todo esto, Claude, contristado y desanimado en sus afectos humanos, se había lanzado, con más ardor aún, en los brazos de la ciencia, esa hermana que, al menos, no se te ríe en tus narices, que paga siempre, aunque en moneda poco consistente, las atenciones que se han tenido con ella. Así que se hizo más sabio y, al mismo tiempo y como consecuencia lógica, más rígido come sacerdote y cada vez más triste como hombre. Existen para cada uno de nosotros paralelismos entre nuestra inteligencia, nuestras costumbres y nuestro carácter que se desarrollan sin interrupción y no se rompen más que en las grandes perturbaciones de la vida.

XIV. IMPOPULARIDAD

El archidiácono y el campanero, ya lo hemos dicho, eran muy poco apreciados por la mayoría de las gentes de las cercanías de la catedral. Cuando Claude y Quasimodo salían juntos, cosa harto frecuente, y se les veía cruzar, el criado marchando detrás del amo por las calles húmedas, estrechas y sombrías de las manzanas de casas que rodean a Nuestra Señora, más de una palabra injuriosa, más de un canturreo irónico, más de una pulla insultante les acosaba al paso, a menos que Claude Frollo, cosa muy poco frecuente, caminase con la cabeza alta y erguida, mostrando su frente severa y casi augusta a los burlones desconcertados.

A veces era un chiquillo burlón que se jugaba la piel y los huesos por disfrutar del inefable placer de clavar un alfiler en la joroba de Quasimodo; otras una mocita gallarda, más atrevida de lo necesario, rozaba el hábito negro del cura a la vez que le cantaba en sus barbas la tonadilla burlona: niche, niche, le diable est pris.

A veces un grupo de viejas escuálidas sentadas a la sombra en los escalones de unos soportales rezongaba ruidosamente al paso del archidiácono y del campanero y les lanzaba entre maldiciones bienvenidas optimistas como: «¡Mira, mira; por ahí pasa uno que tiene su alma igual que el cuerpo del otro!» Otras era un grupo de estudiantes o de soldados, jugando a tres en raya, quienes levantándose todos a su paso les saludaban en latín con algún clásico abucheo como.

Lo normal era que estos insultos pasaran desapercibidos para el cura y para el campanero, pues Quasimodo estaba demasiado sordo para poder oír cosas tan graciosas y Claude demasiado ensimismado.

XV. UNA LÁGRIMA POR UNA GOTA DE AGUA

Todo aquel gentío, al que los cuatro guardias, colocados desde las nueve de la mañana en cada una de las esquinas de la picota, hacían suponer una ejecución sencilla, no un ahorcamiento sino más bien una flagelación, un desorejamiento, o algo por el estilo; toda aquella turba había aumentado de tal manera que los cuatro guardias, con la gente acosándolos demasiado cerca, se habían visto obligados en más de una ocasión a apretarla, como se decía entonces, con fuertes latigazos o incluso con las grupas de los caballos.

Aquel gentío, acostumbrado ya a la espera de las ejecuciones públicas no se mostraba demasiado impaciente y se entretenla contemplando la picota, que era una especie de construcción muy sencilla formada por un cubo de mampostería, de unos diez pies de altura y hueco en el interior. Unos escalones de piedra, sin labrar, a los que se llamaba por antonomasia la escalera, llevaban a la plataforma superior, en la que se veía una rueda horizontal, de madera de roble, maciza. Se ataba al condenado a esta rueda, de rodillas y con los brazos a la espalda. Un eje de madera, accionado por un cabrestante oculto en el interior, imprimía rotación a la rueda, que se mantenía constantemente en un plano horizontal, presentando así la cara del condenado a todos los ángulos de la plaza. A eso se le llamaba girar al criminal.

Quasimodo se había dejado llevar y empujar subir, atar y encadenar. Excepto el gesto estúpido de asombro de un salvaje, nada podía deducirse de su fisionomía. Se sabía que era sordo, pero habría podido decirse que era también ciego.

Le pusieron de rodillas sobre la rueda y no hizo el menor gesto. Le despojaron de su jubón y de su camisa quedándose desnudo hasta la cintura y no hizo el menor gesto. Le ataron de nuevo con más correas y clavillos y se dejó hacer. Sólo suspiraba ruidosamente de vez en cuando como un ternero cuya cabeza cuelga y se balancea asomándose por los bordes de la carreta del carnicero.

—El muy cernícalo—dijo Jehan Frollo du Moulin a su amigo Robin Poussepain (pues los dos estudiantes habían seguido al reo, como es lógico)—comprende menos que un moscardón encerrado en una caja.

Fue una carcajada inmensa la que provocó en el gentío la joroba, al desnudo, de Quasimodo, su pecho de camello y sus hombros callosos y peludos. En medio de aquella algazara un hombre de uniforme, de baja estatura y aspecto robusto, subió a la plataforma y se colocó junto al reo. Su nombre comenzó a circular en seguida entre la asistencia; se trataba de maese Pierrat Torterue, torturador oficial del Châtelet.

Empezó por colocar en uno de los ángulos de la picota un reloj de arena, cuya cápsula superior estaba llena de arena roja, que dejaba fluir hacia el recipiente inferior; después se despojó de un gabán corto que llevaba y se le vio coger en su mano derecha un látigo fino con largas correas blancas, relucientes, anudadas, trenzadas, provistas de uñas metálicas. Con la mano izquierda se remangaba la camisa del brazo derecho.

Jehan Frollo gritaba, levantando su cabeza rubia y rizada por encima de la gente (para ello se había subido a los hombros de Robin Poussepain).

—¡Vengan a ver, señoras y señores! ¡Vengan pues van a flagelar perentoriamente a maese Quasimodo, el campanero de mi hermano, el señor archidiácono de Josas; una curiosa muestra de arquitectura oriental, con la espalda en forma de cúpula y las piernas como columnas salomónicas!

Y la multitud aplaudía y lo celebraba con risotadas, principalmente los niños y las muchachas.

Finalmente, el torturador golpeó el suelo con el pie y la rueda comenzó a girar. Quasimodo se tambaleó entre sus ligaduras. El estupor que se dibujó bruscamente en su rostro deforme provocó de nuevo otra oleada de carcajadas.

De pronto y cuando la rueda en su giro presentó ante maese Pierrat la espalda montañosa de Quasimodo, Pierrat levantó el brazo y las finas correas silbaron cortantes en el aire como un manojo de culebras y cayeron con furia en los hombros del desdichado.

Ya hemos indicado cómo Quasimodo era generalmente odiado y por más de una razón en verdad. Seguro que no habría ni un solo espectador entre toda aquella multitud que no tuviera o no hubiera creído tener alguna razón para quejarse del temible jorobado de Nuestra Señora. La alegría había sido total al verle aparecer en la picota y el castigo tan rudo que acababa de sufrir y la lamentable situación en que le habían dejado, lejos de enternecer al populacho, habían hecho su odio más encendido, animándolo con una punta de alegría.

Llegó el turno de las mil venganzas particulares. Aquí, como en la gran sala, eran sobre todo mujeres las que actuaban... pues todas le tenían algún motivo de rencor; unas por su malicia, otras por su fealdad; éstas eran las que más furiosas se mostraban.

—¡Máscara del anticristo! —le decía una.

—¡Cabalgador de mangos de escoba! —le gritaba otra.

—¡Mira qué cara tan trágica nos pone! —aullaba una tercera. ¡Como para hacerte papa de los locos si ayer fuera hoy!

—Está bien—añadía una vieja; ésa es la mueca de la picota. ¿Cuándo veremos la de la horca?

Y le llovían otras mil injurias más y abucheos a imprecaciones y risotadas y pedradas por doquier.

Quasimodo era sordo pero veía muy bien y el furor público no estaba pintado en los rostros con menos fuerza que en las palabras y además las pedradas explicaban muy bien las risotadas.

En principio lo aguantó todo, pero poco a poco aquella paciencia que se había endurecido bajo el látigo del torturador, cedió y abrió el camino a todas aquellas picadas de insectos. El toro de Asturias que no se inmuta apenas por el puyazo del picador, se irrita por las mordeduras de los perros y por las banderillas. Primero paseó una mirada amenazadora sobre la multitud pero, agarrotado como estaba, su mirada no tuvo fuerza suficiente para espantar a las moscas que le picaban en sus llagas. Entonces se removió como para librarse de sus ligaduras y sus furiosos esfuerzos hicieron chirriar los ejes de la vieja rueda de la picota. Ante esa circunstancia las risas y los abucheos redoblaron.

Entonces el miserable, al no poder romper su collar de fiera encadenada, se apaciguó y únicamente, y a intervalos, algún suspiro de rabia contenida henchía todas las cavidades de su pecho. Su rostro no denotaba ni vergüenza ni rubor, pues se encontraba demasiado alejado del estado de persona sociable y demasiado cerca del estado natural para saber qué era la vergüenza, aunque, bien mirado, su extrema deformidad le hacía seguramente insensible a la infamia. Pero la cólera, el odio, la desesperación hacían descender lentamente hacia aquel rostro repulsivo una nube cada vez más sombría y más cargada de electricidad que se deshacía en mil relámpagos en el ojo del cíclope.

Aquella nube, sin embargo, se iluminó por un momento, al paso de una mula que cruzaba entre el gentío llevando a un sacerdote.

Tan pronto como vio a la mula y al cura la expresión de su rostro se suavizó y al furor que contraía las facciones de su cara sucedió una extraña sonrisa llena de dulzura de una sumisión y de una ternura inefable. A medida que el sacerdote se aproximaba, aquella sonrisa se hacía más abierta, más clara, más radiante. Era como si el desdichado reo saludara la venida de un salvador. Sin embargo, en el momento en que la mula se acercó lo suficiente a la picota para que su caballero pudiera reconocer al reo, el cura bajó la mirada, dio media vuelta bruscamente y espoleó a la mula como si tuviera prisa por librarse de los gritos y reclamaciones humillantes y como si le molestase el ser reconocido y saludado por un pobre diablo en tan lamentable situación.

Aquel cura era el archidiácono Claude Frollo. La nube entonces ensombreció aún más la frente de Quasimodo y aún seguía dibujándose en su rostro la sonrisa, pero ya una sonrisa amarga, decepcionada y profundamente triste.

El tiempo iba transcurriendo. Hacía ya hora y media al menos que permanecía allí desgarrado, maltratado, entre burlas continuas y casi hasta apedreado.

De pronto, agitándose nuevamente entre sus cadenas con una desesperación increíble que hizo retemblar todo aquel armazón que le sostenía y rompiendo por una vez el silencio que con tanta obstinación había mantenido hasta entonces, gritó con una voz ronca y furiosa que semejaba más bien un ladrido que un grito humano y, que ahogó las burlas y el griterío de la gente:

—¡¡Agua!!

Aquella exclamación desesperada, lejos de provocar la compasión, fue como un nuevo pretexto de diversión para el buen público parisino que rodeaba la escalera. Ni una sola voz surgió en torno al desventurado Quasimodo que no fuera para hacer mofa de su sed. Pocos minutos después, Quasimodo paseó por entre la multitud aquella una mirada de desesperación y volvió a repetir con voz más desgarradora esta vez:

—¡¡Agua!!

Y todos se echaron a reír.

—¡Bebe esto!—gritaba Poussepain, tirándole a la cara una esponja empapada en el agua que corría por la calle.—¡Toma, maldito sordo! Soy deudor tuyo.

Una mujer le tiró una piedra a la cabeza.

Eso le enseñará a despertarnos a todos con tu maldito carillón.

—¿Y qué?—gritaba un lisiado intentado alcanzarle con su muleta. ¿Vas a seguir echándonos conjuros desde arriba de las torres de Nuestra Señora?

—¡Aquí tienes una escudilla para beber!—añadía un hombre lanzándole una jarra rota contra el pecho.—Seguro que has sido tú el que, al pasar por delante, has hecho dar a luz a mi mujer un niño con dos cabezas.

—Y a mi gata un gato con seis patas—gruñó una vieja al tiempo que le lanzaba una teja.

—¡Agua! —repitió por tercera vez Quasimodo.

Entonces vio cómo se apartaba el gentío. Una muchacha curiosamente ataviada salió de entre la gente. Iba acompañada de una cabrita blanca de cuernos dorados y llevaba una pandereta en la mano.

El ojo de Quasimodo centelleó. Era la bohemia a la que había intentado raptar la noche anterior, fechoría por la que comprendía vagamente que estaba sufriendo aquel castigo, lo que, por otra parte, no era cierto ni mucho menos, pues se le estaba castigando por la desgracia de ser sordo y por haber sido juzgado por un sordo. Estaba seguro de que también ella había venido para vengarse y darle, como hacían los otros, su golpe correspondiente.

Y en efecto, la vio subir rápidamente a la escalera. La cólera y el despecho le ahogaban. Hubiera deseado derrumbar la picota y si con el centelleo de su ojo hubiera podido fulminar a la zíngara, ésta habría quedado pulverizada antes de alcanzar la plataforma.

Ella, sin decir una sola palabra, se aproximó al reo, que se retorcía en vano para librarse de ella, y soltando una calabaza que a guisa de recipiente tenía atada a la cintura, la acercó muy despacio a los labios áridos del desdichado.

Entonces, de aquel ojo tan seco y encendido hasta entonces, se vio desprenderse una lágrima que fue lentamente deslizándose por aquel rostro deforme y contraído hacía ya mucho rato por la desesperación. Quizás era la primera lágrima jamás vertida por aquel infortunado. No se acordaba ya de la sed y la gitana, con su gracioso gesto de impaciencia, acercó sonriente el cuello de la calabaza a la boca con dientes enormes de Quasimodo. Éste bebió a largos tragos pues tenía una sed ardiente.

Al acabar, el desdichado alargó sus labios amoratados para intentar besar sin duda la bella mano que acababa de socorrerle, pero la joven que, quizás debido al incidente de la noche anterior, no se mostraba demasiado confiada, retiró su mano con el gesto asustado de un niño que teme ser mordido por un animal.

Entonces el pobre sordo, con una tristeza infinita, fijó en ella una mirada llena de reproches.

En cualquier otro lugar habría sido un espectáculo enternecedor el que una bella muchacha, fresca, pura, encantadora, y tan débil al mismo tiempo, ayudase con tanta caridad a un ser tan deforme y tan horrible, pero en aquella picota el espectáculo era sublime.

Toda la multitud se sintió sobrecogida y comenzó a aplaudir furiosamente al tiempo que gritaba:

—¡Bravo! ¡Bravo!

Fue entonces cuando la reclusa vio desde la lucera de su agujero a la gitana, subida en la picota, y cuando lanzó su siniestra imprecación:

—¡Maldita seas, hija de Egipto! ¡Maldita! ¡Maldita! ¡Maldita!

La Esmeralda palideció y descendió de la picota tambaleante, perseguida aún por la voz de la reclusa:

—¡Baja, baja, gitana ladrona, que ya subirás algún día!

—Es una chifladura más de la Sachette—murmuraba el populacho y no hicieron más caso. Esa clase de mujeres eran temidas y su misma condición las hacía sagradas, pues nadie se atrevía a molestar a quien rezaba continuamente noche y día.

Llegó por fin la hora de llevarse a Quasimodo. Lo desataron y el populacho se dispersó.

XVI. DEL PELIGRO DE CONFIAR SECRETOS A UNA CABRA

Habían transcurrido varias semanas.

Eran los primeros días del mes de marzo. El sol, al que Dubartas, ese clásico antepasado de la perífrasis, no había aún llamado el gran duque de las candelas, no estaba por ello menos alegre y esplendoroso. Era uno de esos días de primavera, tan tranquilos y bellos que todo París festeja como si fueran domingos, desparramándose por plazas y paseos. En esos días claros, cálidos y serenos, hay una hora muy propicia para admirar el pórtico de Nuestra Señora. Es justo el momento en que el sol, declinando ya hacia su ocaso mira casi de frente a la catedral. Sus rayos, cada vez más horizontales, se retiran lentamente del empedrado de la plaza, y van ascendiendo a pico a lo largo de la fachada haciendo destacar con su luz y sus sombras los mil relieves que la forman, mientras que el gran rosetón central flambea como el ojo encendido de un cíclope destellante de reverberaciones.

Era aquella hora.

Frente a frente de la alta catedral, roja de sol poniente, en la balconada de piedra abierta sobre el pórtico de una rica mansión gótica que hacían ángulo con la plaza y con la calle del Parvis, un grupo de bellas muchachas charlaba con gran alegría. Era en efecto la señorita Flor de Lis de Gondelaurier y sus compañeras Diana de Christeuil, Amelotte de Montmichel, Colombe de Gaillefontaine y la pequeña de Champchevrier. Todas ellas hijas de buena familia, reunidas en aquel momento en casa de la viuda de Gondelaurier, con motivo de la llegada a Paris de monseñor de Beaujeu y de su señora esposa para escoger a las damas de honor de la princesa heredera, Margarita, a la que había que recibir en Picardía, de manos de los flamencos.

Las señoritas estaban sentadas, unas en la sala y otras en el balcón, sobre almohadones de terciopelo de Utrecht con cantoneras doradas unas y otras sobre escabeles de roble tallados con flores y con figuras. Cada una tenía en sus rodillas un trozo de un gran tapiz para tejer a mano, que estaban confeccionando en común y del que un buen trozo se extendía por la estera que cubría el suelo. Charlaban entre ellas con esa voz susurrante y esas medias risas contenidas, propias de una charla de muchachas cuando hay un hombre joven entre ellas. Ese joven, cuya presencia bastaba para poner en juego el amor propio de aquellas muchachas, parecía no preocuparse demasiado por ellas, y mientras ellas intentaban sutilmente atraer su atención, él parecía más bien interesado en sacar brillo con su guante de piel a la hebilla de su cinturón.

De vez en cuando la señora le dirigía la palabra y él le respondía como buenamente podía, pero con una especie de cortesía torpe y un tanto forzada.

Por las sonrisas, por los gestos de complicidad de madame Aloîse, por los guiños que hacía a su hija Flor de Lis, mientras hablaba bajito con el capitán, se desprendía fácilmente que debían ya estar prometidos o que iban muy pronto a contraer matrimonio Flor de Lis y el joven acompañante, mas por la indiferencia y la actitud un canto forzada del oficial, podía deducirse también, al menos por su parte, que no era un compromiso de amor.

Todo su aspecto manifestaba una expresión de desagrado y aburrimiento que nuestros lugartenientes de guarnición traducen hoy admirablemente con la expresión: «¡Qué lata! ¡Hoy me ha tocado a mí!»

La buena señora, muy entusiasmada con su hija, como corresponde a una buena madre, no se daba cuenta del escaso entusiasmo del oficial y no se cansaba de señalarle muy bajito, las mil perfecciones con las que Flor de Lis tejía su tapiz o devanaba su ovillo.

—Fijaos—le decía tirándole de la manga para poder hablarle al oído.—Pero, ¡fijaos cómo se agacha!

—¡Ya lo veo, ya! —decía el joven y volvía inmediatamente a su silencio distraído y glacial.

Poco después la joven se agachaba de nuevo y madame Aloîse le insistía:

—¿Habéis visto alguna vez cara tan atractiva y tan alegre como la de vuestra prometida? ¿Puede haberlas más blancas y más rubias? ¿No son sus manos las más perfectas? ¿Y su cuello, no es encantador? ¡Si hasta podría decirse que es como el de un cisne! ¡Cuánto os envidio a veces! ¡Y qué suerte tenéis de ser hombre, pícaro libertino! ¿A que mi hija es adorable? ¿Verdad que estáis perdidamente enamorado?

—¡Claro, claro! —respondía el oficial pensando en otras cosas.

—Pero, decidle algo—le indicó de pronto madame Aloise, empujándole hacia ella. Os mostráis demasiado tímido.

Podemos asegurar a los lectores que la timidez no era virtud ni defecto del capitán; no obstante intentó hacer lo que le pedía.

—Bella prima—dijo aproximándose a Flor de Lis,—¿cuál es el tema de este bello tapiz en el que trabajáis?

—Querido primo—respondió Flor de Lis con un cierto aire despectivo: ya os lo he dicho más de tres veces: es la gruta de Neptuno.

Era evidente que Flor de Lis veía mucho más claro que su madre la actitud fría y displicente del capitán, hasta el punto que él sintió la necesidad de iniciar una conversación.

—¿Y para quién es toda esa neptunería?—le preguntó.

—Para la abadía de Saint Antoine des Champs —le respondió Flor de Lis sin levantar la vista.

El capitán cogió una esquina del tapiz.

—¿Quién es bella prima, este gendarme gordinflón que sopla con todas sus fuerzas en una trompeta?

—Es Tritón—respondió la joven.

Se deducía de sus respuestas un tono de enfado y el joven comprendió que convenía decirle algo al oído, cualquier tontería, una galantería o cualquier cosa; así que se inclinó pero no fue capaz de encontrar en su imaginación nada más tierno o más íntimo que esto:

—¿Por qué vuestra madre lleva siempre un sobreveste con escudo de armas, como nuestras abuelas en tiempos de Carlos VII? Decidle, hermosa prima que ya no se llevan esas cosas y que su gozne y su laurel bordados en su vestido en forma de blasón le dan un aspecto de chimenea acampanada que anda. Además, os juro que no está bien que uno se siente encima de sus escudos de armas.

Flor de Lis elevó hacia él sus bellos ojos para reprocharle así su actitud.

—¿Eso es todo lo que tenéis que decirme?—le dijo en voz baja.

Pero la buena señora Aloise, encantada de verles así tan juntos y susurrándose cosas al oído, decía mientras jugueteaba con los cierres de su libro de las horas:

—¡Qué emocionante escena de amor!

En aquel momento Bérangére de Champchevrier, una espigada niña de siete años, que estaba mirando la plaza por entre los trifolios de la balconada, exclamó:

—¡Eh! Mirad, bella madrina Flor de Lis, qué hermosa bailarina está danzando en la plaza y cómo toca la pandereta.

Y, en efecto, se oía el alegre sonido de una pandereta.

—Será alguna gitana de Bohemia—dijo Flor de Lis, volviéndose displicente a mirar.

—¡Vamos, vamos!—exclamaban sus compañeras y corrieron todas hacia el balcón, mientras Flor de Lis, dolida por la frialdad de su prometido, las seguía lentamente, y éste, tranquilo porque el incidente había acabado con aquella conversación forzada se retiraba hasta el fondo de la estancia con la impresión de un soldado que ha sido relevado de su servicio.

—Querido primo, ¿no nos habéis hablado de una joven zíngara a la que salvasteis hace dos meses, de manos de una docena de ladrones, mientras hacíais la ronda nocturna?

—Creo que sí, bella prima.

—¿Y no será acaso esta misma que está ahora bailando en la plaza? Acercaos, primo Febo, a ver si la reconocéis.

Él percibió un secreto deseo de reconciliación en aquella amable invitación que le hacía para acercarse a ella y por el hecho de haberle llamado por su nombre. El capitán Febo de Châteaupers (pues es él a quien tiene el lector ante su vista desde el comienzo del capítulo) se aproximó lentamente al balcón.

—Fijaos—le dijo Flor de Lis, tomando tiernamente el brazo de Febo, mirad esa jovencita que baila en medio de la gente, ¿es la zíngara que conocéis?

Febo la miró un instante y dijo:

—Sí; la reconozco por su cabra.

—¡Ah, es verdad! Tiene una cabritilla—exclamo Amelotte con admiración.

—¿Es verdad que sus cuernos son de oro?—preguntó Bérangére.

Madame Aloise contestó sin moverse de su sillón:

—¿No es una de esas gitanas que llegaron el año pasado por la Porte Gibard?

—Mi señora madre—corrigió amablemente Flor de Lis,—esa puerta se llama ahora Porte d'Enfert.

La señorita Gondelaurier conocía hasta qué punto aquella manera anticuada de hablar de su madre chocaba al capitán y en efecto éste había ya empezado a rezongar, diciendo entre dientes:

—¡La Porte Gibard! ¡La Porte Gibard! ¡Ni que tuviera que pasar por ella Carlos VI!

—¡Madrina! —exclamó Bérangère moviendo sin cesar los ojos y fijándolos en las torres de Nuestra Señora. ¿Quién es ese hombre de negro que se ve allá arriba?

Todas las jóvenes levantaron la mirada hacia las torres y vieron en efecto a un hombre con los codos apoyados en la balaustrada superior de la torre septentrional que daba a la plaza de Gréve. Era un clérigo. Se distinguían claramente sus ropajes y su rostro apoyado en ambas manos y se mantenía tan quieto que parecía una estatua.

Su mirada estaba fija en la plaza. Era algo así como la mirada del milano que acaba de descubrir un nido de pájaros al que no quita la vista.

—Es el señor archidiácono de Josas—dijo Flor de Lis.

—Tenéis una vista magnífica si sois capaz de reconocerle desde aquí—precisó la Gaillefontaine.

—¡Con qué atención mira a la bailarina! —añadió Diane de Christeuil.

—Pues que tenga cuidado esa egipcia—dijo Flor de Lis ya que al archidiácono no le gusta Egipto.

—Pues es una pena que la mire de esa manera porque la verdad es que baila maravillosamente—añadió Amelotte de Montmichel.

—Primo Febo—dijo de pronto Flor de Lis,—ya que conocéis a esa gitanilla, ¿por qué no le pedís que suba? Nos distraería mucho.

—¡Muy bien! —dijeron todas las muchachas aplaudiendo.

—Es una locura respondió Febo.—Seguramente ya no se acuerda de mí y yo no conozco ni su nombre; pero puesto que así lo deseáis, señoritas, voy a intentarlo y, asomándose a la balaustrada del balcón, se puso a gritar.

—¡Pequeña!

La bailarina no tocaba la pandereta en ese momento y volvió la cabeza hacia el lugar de donde venía aquella voz. Su mirada se fijó en Febo y se paró de repente.

—¡Pequeña!—insistió el capitán, al tiempo que con el dedo le hacía signos para que subiera.

La joven volvió a mirar se ruborizó como si una llama le hubiera subido hasta las mejillas, y cogiendo la pandereta bajo el brazo, se dirigió por entre los espectadores asombrados hacia la puerta de la casa desde la que Febo la llamaba, lentamente, titubeando y con la mirada perdida de un ave que cede a la fascinación de una serpiente.

Poco después se descorrió la cortina que había ante la puerta y apareció la gitana en el umbral de aquella sala. Estaba ruborizada, confusa, sofocada, bajo sus grandes ojos y sin atreverse a dar un paso más.

Bérangére se puso a aplaudir.

Era tan rara su belleza que cuando surgió a la entrada de la estancia parecía despedir una especie de luz propia.

Por ello el recibimiento que hicieron a la gitana fue maravillosamente glacial. La miraron de arriba a abajo después se miraron entre ellas y todo quedó dicho. Sabían perfectamente lo que querían. Por su parte la muchacha esperaba que le dijeran algo y estaba tan emocionada que no se atrevía a levantar los párpados.

Fue el capitán el primero que rompió el silencio.

—¡A fe mía, que es una criatura encantadora!—afirmó con un tono intrépido de ligereza. ¿Qué opináis vos, mi querida prima?

Esta observación que un admirador más delicado debería haber hecho en voz baja, no ayudó precisamente a disipar los celos de las jóvenes que permanecían muy atentas a la gitana.

Así Flor de Lis respondió al capitán con una disimulada afectación desdeñosa.

—No está mal.

Las otras hicieron sus cuchicheos ante esta respuesta, hasta que madame Aloîse, que no era la menos celosa, pues lo estaba por su hija, se dirigió a la bailarina.

—Acercaos, pequeña.

—Acercaos, pequeña—repitió con una dignidad cómica Bérangère, que apenas si le llegaba a la cadera.

La egipcia se acercó hacia la noble dama.

—Bella niña—dijo Febo con énfasis acercándose unos pasos hacia ella. No sé si tengo la enorme dicha de ser reconocido por vos...

Ella le interrumpió dirigiéndole una sonrisa y una mirada llena de una infinita delicadeza.

—¡Oh, sí!—le dijo.

—Tiene buena memoria—observó Flor de Lis.

—Es que la otra noche—añadió Febo—desaparecisteis rápidamente. ¿Os asusté acaso?

—¡Oh, no!—dijo la gitana.

Y había en el acento con que aquel ¡oh, no! fue pronunciado, algo inefable que hirió a Flor de Lis.

—Pues me dejasteis en sustitución vuestra, preciosa niña—continuó el capitán cuya lengua se iba soltando al hablar a una chica de la calle—a un maldito tipo tuerto y jorobado; el campanero del obispo creo que era. Me han dicho que era hijo bastardo de un archidiácono y diablo de nacimiento. Tiene un nombre la mar de divertido; se llama Témporas o Pascua Florida, ya no sé cómo: ¡Un nombre de fiesta, de las de repicar campanas! ¡Se permitía raptaros como si estuvieseis hecha para un muñidor! ¡Es por demás! Decid, ¿qué pretendía de vos ese cárabo?

—No lo sé respondió ella.

—¡Es inconcebible! ¡Un campanero raptar a un chica como si fuera un vizconde! ¡Un villano cazar furtivamente la caza de los nobles! ¡Es increíble! Hay que decir de paso que bien caro lo ha pagado, pues maese Pierrat Torterue es el más rudo palafrenero que jamás haya zurrado a un pícaro; y además os diré, por si os sirve de consuelo, que la piel de vuestro campanero ha sido bien vapuleada con sus manos.

—¡Pobre hombre!—respondió la gitana, a la que aquellas palabras habían reavivado el recuerdo de las escenas de la picota.

El capitán soltó una risotada.

—¡Cuernos! ¡Es ésa una compasión que le cae a ese bribón como una pluma en el culo de un cerdo! Que me vuelva barrigudo como un papa si...

Se detuvo en seco.

—Perdón, señoras. Creo que iba a decir alguna tontería.

—¡Por Dios, señor!—dijo la Gaillefontaine.

—Está hablando a esa criatura en su propia lengua—añadió a media voz Flor de Lis cuyo despecho crecía por momentos y desde luego no disminuyó viendo cómo el capitán estaba encantado de la gitana y principalmente de sí mismo, ni al verle pavonearse repitiendo con galantería grosera y soldadesca:

—Una hermosa mujer, a fe mía.

—Y bastante burdamente vestida—dijo Diane de Christeuil luciendo su dentadura con una sonrisa.

Esta reflexión abrió un rayo de luz para las demás, pues les hizo ver el lado más vulnerable de la gitana. Ya que no podían morder en su belleza, atacaban su vestimenta.

—Es cierto, pequeña—dijo la Montmichel.—¿Dónde has aprendido a correr por las calles vestida así sin toca ni gorguera?

—Y esa falda tan corta es para echarse a temblar—añadió la Gaillefontaine.

Y además, querida, insistió con cierta crudeza Flor de Lis corréis el riesgo de que os detenga la guardia de la docena por llevar ese cinturón dorado.

—Pequeña—siguió la Christeuil con una sonrisa implacable,—si lo cubrieras honestamente esos brazos, no te los quemaría tanto el sol.

Febo, por su parte, sonreía y tomaba partido por la gitana con una mezcla de impertinencia y de compasión.

—Déjalas que hablen, querida—repetía haciendo sonar sus espuelas de oro; vuestra vestimenta tiene mucho de extravagante pero, ¿qué importancia puede tener eso siendo como sois una joven encantadora?

—¡Dios mío!—exclamó la rubia Gaillefontaine, resaltando su cuello de cisne con una sonrisa amarga,—observo que los señores arqueros de la ordenanza del rey se encandilan gustosamente ante los bellos ojos de las egipcias.

—¿Y por qué no?—contestó Febo.

Ante esta respuesta displicente del capitán, lanzada como una piedra sin preocuparse del lugar en donde pueda caer, Colombe se echó a reír y Diana y Amelotte y también Flor de Lis, a la que al mismo tiempo le brotó una lágrima de sus ojos.

La gitana, que había bajado la vista ante las palabras de Colombe de Gaillefontaine, la elevó de nuevo radiante de alegría y de orgullo para mirar a Febo con agradecimiento. Estaba muy hermosa en aquel momento.

La buena señora Aloîse , que presenciaba aquellas escenas, se sintió ofendida y no acertaba a comprender.

—¡Virgen santa! —exclamó de pronto.—¿Qué es eso que se mueve entre mis piernas? ¡Ay, desgraciado animal!

Era la cabra que acababa de llegar buscando a su dueña y que, al precipitarse hacia ella, había metido sus cuernos entre el revuelo de tripa que formaba a sus pies el vestido de la noble dama cuando permanecía sentada.

Aquello fue una diversión más. La gitana la separó sin decir una palabra.

—¡Oh! ¡Es ésta la cabritilla con sus pezuñas doradas! —exclamó Bérangère dando saltos de alegría.

La gitanilla se puso de rodillas y apoyó en sus mejillas la cabeza suave y acariciadora de la cabrita. Parecía como si la pidiera perdón por haberla abandonado de aquella manera.

Diane se puso a susurrar algo al oído de Colombe.

—¡Dios mío! ¡Pero cómo no lo habré pensado antes! Es la gitana de la cabra. La llaman bruja y dicen que su cabra hace imitaciones y trucos milagrosos.

¡Pues que nos divierta también la cabra haciéndonos uno de esos milagros!

Diane y Colombe se dirigieron vivamente a la gitana diciéndola:

—¡Dile a tu cabra que nos haga un milagro, pequeña!

—No sé lo que queréis decir con ello—respondió la bailarina.

—Pues eso; un milagro; magia, en fin, cualquier brujería de ésas.

—No sé hacerlo.

Y se puso a acariciar de nuevo la linda cabeza de su cabra mientras le decía:

—¡Djali! ¡Djali!

Flor de Lis se fijó entonces en una bolsita de cuero bordada que la cabra llevaba colgada del cuello.

—¿Qué es eso?—preguntó a la gitana.

La gitana la miró con sus grandes ojos y respondió muy seriamente:

—Eso es mi secreto.

—Ya me gustaría conocer cuál es tu secreto—pensó Flor de Lis.

Entonces se levantó la buena señora y dijo con cierto tono de enfado.

—Veamos, gitanilla; si tú y tu cabrita no vais a bailarnos nada, ¿qué hacéis aquí adentro?

La gitanilla, sin responder, se dirigió lentamente hacia la puerta y sus pasos eran más lentos cuanto más se acercaba a ella; era como si un invencible imán la retuviera y de pronto se volvió hacia Febo con los ojos húmedos de lágrimas.

—¡Válgame Dios!—exclamó el capitán.—No puede uno marcharse así. Volved y bailad algo para nosotros. A propósito, querida, ¿cómo os llamáis?

—La Esmeralda—contestó la bailarina sin dejar de mirarle.

Ante este extraño nombre, una risotada loca estalló entre las jóvenes.

—¡Vaya nombre tan horrible para una señorita! —dijo Diane.

—Ya veis que es una embrujadora—replicó Amelotte.

Desde hacía ya algunos minutos y sin que nadie se fijara, Bérangère había atraído a la cabra hacia un rincón ofreciéndole un mazapán y en un momento las dos se habían hecho buenas amigas. La curiosa niña había soltado el saquito que la cabra llevaba colgado del cuello, lo había abierto y había vaciado su contenido sobre la alfombra. Se trataba de un alfabeto en el que cada letra estaba grabada por separado en una pequeña tablilla de boj. Apenas aquellos juguetes quedaron extendidos en la alfombra cuando la niña vio con sorpresa, y éste debía ser uno de los milagros, retirar algunas letras con su patita dorada y alinearlas en un orden perfecto. Al cabo de unos momentos quedó formada una palabra que la cabra debía tener la costumbre de escribir, por lo poco que tardó en formarla. Bérangére exclamó de pronto juntando las manos con admiración:

¡Madrina, Flor de Lis, fijaos lo que acaba de hacer la cabra!

Flor de Lis se acercó y al verlo se estremeció. Las letras ordenadas en el suelo formaban esta palabra:

FEBO

—¿Ha sido la cabra la que lo ha escrito?—preguntó ella con la voz alterada.

—Sí, madrina—respondió Bérangére.

Era imposible dudar de ello pues la niña no sabía escribir.

—¡Ése es el secreto!—pensó Flor de Lis.

Pero al grito de la niña habían acudido todos; la madre, las jóvenes, la bohemia y el oficial.

La gitana vio la tontería que había escrito su cabra y se puso roja y luego pálida y finalmente se echó a temblar ante el capitán como si fuera culpable. Éste se quedó muy sorprendido mirándola con una sonrisa.

—¡Febo!—murmuraban estupefactas las jóvenes. ¡Es el nombre del capitán!

—¡Tenéis una memoria excelente!—dijo Flor de Lis a la gitana que se había quedado petrificada. Un poco después, rompiendo a llorar y cubriéndose el rostro con sus bellas manos exclamó balbuciente:—¡Es una bruja!—pero en el fondo de su corazón oía otra voz más amarga aún que decía: ¡Es una rival!

Y se desvaneció.

—¡Hija mía! ¡Hija mía! ¡Vete, gitana del infierno!

En un abrir y cerrar de ojos la Esmeralda recogió las inoportunas letras, hizo una seña a Djali y salió por una puerta mientras se llevaban por otra a Flor de Lis.

El capitán Febo, que se había quedado solo, dudó un momento entre las dos puertas y siguió a la gitana.

XVII. UN SACERDOTE Y UN FILÓSOFO HACEN DOS

El sacerdote que las jóvenes habían visto en lo alto de la torre septentrional, asomado a la plaza y muy atento a la danza de la gitana, era en efecto el archidiácono Claude Frollo.

Nuestros lectores no se han olvidado de aquella misteriosa celda que el archidiácono se había reservado en esa torre (no sé, para decirlo de pasada, si es la misma cuyo interior puede verse aún hoy por una pequeña ventana cuadrada, abierta hacia el levante a la altura de un hombre, en la plataforma de donde arrancan las dos torres; un cuartucho, hoy vacío y destartalado, cuyas paredes, mal revocadas, están adornadas aquí y allá con algunos dibujos amarillentos que representan fachadas de catedrales. Imagino que ese agujero esté habitado por murciélagos y arañas, en competencia unos y otras, y haciendo los dos una guerra de exterminio a las posibles moscas).

Todos los días, una hora antes de la puesta del sol, el archidiácono subía la escalera de la torre y se encerraba en aquella celda en donde a veces pasaba noches enteras.

Claude Frollo volvió a guardar precipitadamente la llave y unos instantes más tarde se encontraba en la parte superior de la torre, en aquella actitud sombría y de recogimiento en que las jóvenes lo habían visto.

Estaba allí serio, inmóvil, absorto en un pensamiento y con la mirada fija en algún punto. Habría sido difícil definir la naturaleza de aquella mirada y de dónde procedía la llama que de ella surgía. Era una mirada fija, llena de turbación y de tumultos. Y por la inmovilidad profunda de todo su cuerpo, agitado a intervalos por un escalofrío maquinal como un árbol por el viento, por la rigidez de sus codos, más mármol que la balaustrada en la que se apoyaban, por la sonrisa petrificada que contraía su rostro, se habría dicho que en Claude Frollo sólo había una cosa viva; su mirada.

La gitana estaba bailando. Giraba la pandereta con la punta de los dedos y la lanzaba al alto danzando zarabandas provenzales; ágil, ligera, alegre y sin sentir el peso de la mirada terrible que caía a plomo sobre su cabeza.

El gentío se agolpaba en torno a ella. De vez en cuando un hombre vestido con una casaca amarilla y roja ordenaba aquel círculo e iba luego a sentarse en una silla, a unos pasos tan sólo de la bailarina, y apoyaba la cabeza de la cabra en sus rodillas. Aquel hombre parecía ser el compañero de la gitana. Claude Frolllo, desde aquel lugar tan elevado en donde se encontraba, no podía distinguir sus rasgos.

Desde el momento mismo en que el archidiácono descubriera al desconocido aquel, su atención pareció repartirse entre la bailarina y él. De pronto se incorporó y un temblor recorrió todo su cuerpo:

—¿Quién puede ser ese hombre? —se dijo hablando entre dientes.— ¡Siempre la había visto sola!

Entonces se metió en la bóveda tortuosa de la escalera espiral y bajó. Al pasar ante la puerta del carillón, que se encontraba entreabierta, vio algo que le llamó la atención; vio a Quasimodo que, asomado a una abertura de esos tejadillos de pizarra que se asemejan a enormes celosías, estaba también mirando a la plaza. Su atención era tan grande que ni siquiera se dio cuenta de que pasaba por allí su padre adoptivo. Su ojo salvaje tenía una expresión singular. Era una mirada cautivada y dulce.

—Sí que es raro—murmuró Claude. ¿Será a la gitana a quien está mirando así? —y siguió bajando. Al poco rato el preocupado archidiácono salió a la plaza por la puerta que se encuentra bajo la torre.

—¿Qué ha pasado con la gitana?—preguntó mezclándose con el grupo de espectadores que la pandereta había reunido allí.

—No lo sé—contestó—alguien acaba de desaparecer. Creo que se ha ido a bailar algún fandango a esa casa de ahí en frente, de donde la han llamado.

En lugar de la gitana, en aquella misma alfombra cuyos arabescos se borraban momentos antes bajo los dibujos caprichosos de la danza, el archidiácono no vio más que al hombre de rojo y amarillo quien a su vez, para ganar algunas monedas, se paseaba alrededor del corro en donde bailaba la gitana con los codos en las caderas, con la cabeza echada hacia atrás y la cara congestionada con el cuello estirado y llevando una silla entre los dientes. En aquella silla tenía atado a un gato que le habría prestado una vecina y que maullaba muy asustado.

—¡Por Nuestra Señora!—exclamó el archidiácono cuando el saltimbanqui, sudando a mares, pasó ante él con aquella pirámide de silla y gato encima. ¿Qué hace aquí maese Pierre Gringoire?

La voz severa del archidiácono sobresaltó tanto al pobre diablo que perdió el equilibrio con todo su edificio, y silla y gato cayeron sobre las cabezas de aquel público en medio de un griterío ensordecedor.

Seguramente maese Pierre Gringoire (porque se trataba de él) habría tenido que vérselas con la vecina del gato y con muchos de los espectadores a causa de los golpes y arañazos si no se hubiera apresurado,aprovechándose del tumulto, para refugiarse en la iglesia a donde Claude Frollo le hacía señas para que le siguiese.

La catedral estaba ya vacía y en penumbra. La oscuridad se apoderaba de las naves laterales y las lámparas de las capillas comenzaban a brillar en contraste con las tinieblas que envolvían las bóvedas. Sólo el gran rosetón de la fachada principal, envolviendo en mil colores los últimos rayos horizontales del sol, destacaba en la penumbra como un revoltijo de diamantes reflejando en el otro extremo su espectro deslumbrador.

Después de andar unos pasos, don Claude se apoyó en un pilar y se quedó mirando a Gringoire fijamente. No era aquella mirada la que preocupaba a Gringoire, avergonzado como estaba de haberse visto sorprendido por una persona grave y docta con aquel traje de payaso. La mirada del cura no encerraba ni burla ni ironía; era más bien seria, tranquila, penetrante y fue el archidiácono el primero en romper el silencio.

—Venid acá, maese Pierre. Vais a tener que explicarme muchas cosas. Primero: ¿a qué se debe el que hace dos meses que no se os haya visto y que aparezcáis ahora por las plazas, vestido con tanta elegancia ¡a fe mía!, con trajes medio amarillos y medio rojos como si fueseis una manzana de Caudebec?

—Se trata en verdad de una extraña indumentaria y me encuentro más apurado por ello que un gato con una calabaza encima. Sé que no está bien, y lo lamento mucho, exponer el húmero de un filósofo pitagórico a las porras de los guardias, si llegan a encontrarme de cal guisa. Un montón de vagabundos que se han hecho buenos amigos míos me han enseñado unos cuantos trucos hercúleos y así puedo ofrecer todos los días a mis dientes el pan que han ganado a lo largo de la jornada con el sudor de mi frente. A pesar de todo, concedo, reconozco que es un pobre empleo de mis facultades intelectuales y que el hombre no está hecho para pasarse la vida tocando el pandero o mordiendo sillas. Pero, reverendo padre, no basta con pasar la vida, hay que ganársela.

Don Claude le escuchaba en silencio. De pronto sus ojos hundidos se hicieron tan sagaces y penetrantes que Gringoire se sintió, por decirlo así, escudriñado hasta el fondo del alma por aquella mirada.

—Muy bien, maese Pierre, pero, ¿de dónde viene el encontrarnos en compañía de esta bailarina de Egipto?

—Bueno, pues por nada—contestó Gringoire, porque ella es mi mujer y yo soy su marido.

Los ojos tenebrosos del sacerdote se inflamaron.

—¿Habrás sido capaz de tal cosa, miserable?—le gritó cogiendo con furia el brazo de Gringoire. ¿Hasta tal punto te ha abandonado Dios como para poner tus manos en esa joven?

—Os juro, monseñor por la parte que me pueda corresponder del paraíso—le respondió Gringoire temblando por todo su cuerpo que nunca la he tocado, si es eso lo que os inquieta.

¿Y por qué hablas entonces de marido y mujer?

Gringoire se apresuró entonces a contarle, lo más sucintamente posible, todo lo que el lector conoce ya de sus aventuras en la Corte de los Milagros y de su matrimonio y del cántaro roto. Parecía, por lo demás que aquel matrimonio no se había consumado y que la gitana le escamoteaba todos los días su noche de bodas, como ya ocurriera aquel primer día.

—Es un fastidio—dijo para terminar, pero se debe a que he tenido la desgracia de desposar a una virgen.

—¿Qué queréis decir?—preguntó el archidiácono que se había ido apaciguando gradualmente al ir escuchando el relato.

—Es harto difícil de explicar—le respondió el poeta, pues se trata de una superstición. Mi mujer, es por lo que me ha dicho un viejo hampón, al que llaman entre nosotros el duque de Egipto una niña abandonada, o perdida, que da lo mismo. Lleva colgado del cuello un amuleto, que según aseguran, le ayudará algún día a encontrar a sus padres, pero que perdería su virtud si la joven perdiera la suya. Y de ahí se desprende el que nosotros dos seamos tan virtuosos.

El archidiácono siguió acosándole a preguntas.

Gringoire le contó que cada mañana salía de la truhanería generalmente con la gitana, y la ayudaba a hacer la colecta por las plazas recogiendo las monedas de cobre y de plata y por la noche volvía con ella y se quedaban bajo el mismo techo; ella sin embargo se encerraba en su cuartucho y se dormía con el sueño de los justos.

Una existencia muy dulce y muy propicia a la fantasía y además en su alma y en su conciencia no estaba muy seguro de estar perdidamente enamorado de la gitana. Casi le gustaba la cabra tanto como ella. Era un animalito encantador, dulce, inteligente, espiritual; casi casi una cabra sabia. Bastaba casi siempre con presentar a la cabra la pandereta en tal o cual posición para que ella realizara la gracia pretendida. Fue la misma gitana quien le había adiestrado en ello pues mostraba para esas habilidades un talento tan notable que le habían bastado dos meses para enseñar a la cabra a escribir con las letras sueltas la palabra Febo.

—Febo—dijo el cura; ¿por qué Febo?

—No lo sé—contestó Gringoire.—Debe tratarse de alguna palabra que ella cree dotada de algún poder mágico y secreto. Incluso lo repite en voz baja cuando cree estar sola.

—¿Y te encuentras a solas con ella muchas veces?

—Todas las noches durante más de una hora.

Claude frunció el entrecejo.

—Hablad, señor.

¿Por qué os importa tanto?

La pálida figura del archidiácono se tornó roja cual las mejillas de una muchacha y se quedó cortado un momento; luego dijo visiblemente turbado.

—Escuchad, maese Pierre Gringoire. Que yo sepa, aún no estáis condenado; me intereso por vos y os deseo lo mejor; sin embargo, cualquier contacto, el más mínimo incluso, con esa gitana del demonio, os haría vasallo de Satanás. Sabéis que el alma se pierde siempre por el cuerpo, pues bien; ¡desgraciado de vos si os acercáis a esa mujer! No puedo deciros más.

—Lo intenté una vez el primer día—dijo Gringoire rascándose una oreja.

—¿Tuvisteis tal atrevimiento, maese Pierre? —y la frente del sacerdote se ensombreció.

—En otra ocasión—prosiguió el poeta, sonriendo,—miré por el ojo de la cerradura antes de acostarme y vi en camisón a la criatura más deliciosa que jamás haya hecho crujir los travesaños de la cama con sus pies desnudos.

—¡Vete al diablo!—le gritó el cura con su mirada terrible, empujando por los hombros al maravillado Gringoire y desapareció con grandes zancadas por entre los arcos sombríos de la catedral.

XVIII. LAS CAMPANAS

Desde aquella mañana de la picota los vecinos de Nuestra Señora habían creído observar que el entusiasmo de Quasimodo para tocar las campanas había remitido un canto. Antes se oían las campanadas por cualquier pretexto; largos repiques al alba que se prolongaban de prima a completas, repiques para la misa mayor, diferentes tañidos según se tratara de boda o de bautizo; en fin, repiques que se entremezclaban en el aire como un bordado hecho con los sonidos más encantadores.

La vieja iglesia, toda llena de vibraciones y sonidos, era un gozo continuo de campanas. Se notaba continuamente la presencia de un espíritu sonoro y caprichoso que cantaba por todas aquellas bocas de cobre.

Ocurrió que en aquel año de gracia de 1482, la Anunciación cayó 25 de marzo. Aquel día, la atmósfera era tan pura y transparente que Quasimodo sintió renacer su amor por las campanas.

De pronto, dejando resbalar su mirada por entre las anchas escamas de las pizarras que cubren a cierta altura el muro vertical del campanario, vio en la plaza a una muchacha extrañamente vestida, que se detenía, que desenrollaba una alfombra en donde una cabritilla acababa de sentarse y a un grupo de espectadores que se arremolinaba a su alrededor.

Aquella escena cambió súbitamente el curso de sus ideas y detuvo su entusiasmo musical como una corriente de aire solidifica unas gotas de resina líquida. Se detuvo entonces, se olvidó de las campanas y se acurrucó tras el tejadillo de pizarra, fijando en la bailarina aquella mirada soñadora, tierna y dulce que ya sorprendiera en una ocasión al archidiácono.

Las campanas, olvidadas, dejaron de tocar bruscamente, todas a la vez, con gran desesperación de los entusiastas de los volteos que estaban escuchando entusiasmados desde el Pont au Change y que hubieron de marcharse, decepcionados, como un perro al que se le enseña un hueso y le dan un piedra.

Aquel maldito nombre que, desde la entrevista con Gringoire, aparecía en todos sus pensamientos era Febo. Y al escucharlo, no lo sabía, pero... a fin de cuentas era también un Febo, y ese nombre bastaba para que el archidiácono siguiera a paso de lobo a aquellos dos despreocupados compañeros, oyendo lo que decían, observando todos sus movimientos con una gran ansiedad. Además, lo más fácil era oír todo lo que hablaban, pues lo hacían casi a gritos, preocupándoles muy poco que los transeúntes se enteraran de sus confidencias. Hablaban de mujeres, de vino, de desafíos, de locuras...

Al doblar una esquina les llegó el sonido de una pandereta que procedía de una calle próxima. Claude oyó cómo el oficial decía al estudiante.

—¡Rayos y truenos! Apretemos el paso.

—¿Por qué, Febo?

—Tengo miedo de que me vea la gitana.

—¿Qué gitana?

—La joven esa de la cabra.

—¿La Esmeralda?

—Esa misma, Jehan, siempre se me olvida ese demonio de nombre. Apresuremos el paso o acabará por reconocerme y no quiero que esa chica me pare en la calle.

—¿La conocéis pues, Febo?

Al llegar aquí el archidiácono observó cómo Febo, un tanto burlón, se acercó al oído de Jehan y le dijo algunas palabras en voz baja; luego Febo se echó a reír sacudiendo la cabeza con un gesto de triunfo.

—¿De verdad?—preguntó Jehan.

—¡Por mi alma!—contestó Febo.

—¿Esta noche?

—Esta noche.

—¿Estáis cierto que va a venir?

—¿Estáis loco, Jehan? Esas cosas no se dudan.

—¡Capitán Febo, sois un oficial afortunado!

Los dientes del archidiácono castañeteaban al oír aquello y un escalofrío, perceptible incluso en sus ojos, le recorrió el cuerpo. Se detuvo un momento y se apoyó en una esquina como si estuviera ebrio y continuó con la persecución de los dos alegres y despreocupados mozos.

Cuando volvió de nuevo a acercarse a ellos, ya habían cambiado de conversación; ahora cantaban a voz en grito la vieja canción:

Los niños de los Petits Carreaux
se dejan colgar como terneros.

XIX. EL FANTASMA ENCAPUCHADO

Al llegar a la calle Saint André des Arcs, el capitán Febo observó que alguien le seguía. Había visto por casualidad, al mirar hacia atrás, una especie de sombra que se arrastraba tras él arrimándose a las paredes. Cuando él se paraba ella se paraba también y si echaba a andar, la sombra hacía otro tanto. Sin embargo apenas si llegó a inquietarse un poco.

—¡Bah!—se dijo;—¡si no llevo ni un cuarto!

En el momento en que distraídamente se había puesto a atarse los cordones de las botas, vio cómo la sombra se acercaba a él con pasos lentos; tan lentos eran que tuvo tiempo de fijarse en la capa y el sombrero que llevaba. Una vez a su lado se detuvo y permaneció allí más inmóvil que la estatua del cardenal Bertrand. Sus ojos lanzaron hacia Febo una mirada llena de esa luz imprecisa que se ve por la noche en los ojos de los gatos.

El capitán era valiente y le habría importado muy poco el vérselas con un ladrón con un puñal en la mano, pero aquella estatua móvil, aquel hombre petrificado, le dejaron helado. Le vinieron a la memoria no sé qué leyendas que se contaban entonces acerca de un fantasma encapuchado, vestido de fraile, que merodeaba en las noches por las calles de París. Durante unos instantes permaneció sorprendido hasta que él mismo rompió aquel silencio con una risa forzada.

—Señor, si sois un ladrón como presumo, me hacéis el efecto de una garza que pretende sacar algo de una cáscara de nuez. Mi familia está totalmente arruinada, amigo. Dirigíos, pues, a otra parte. Creo que en la capilla de este colegio hay un trozo de madera de la Vera Cruz engarzado en plata.

—En ese instante la sombra sacó la mano de debajo de la capa y la lanzó pesadamente sobre Febo como la garra de un águila, al tiempo que decía.

—¡Capitán Febo de Cháteaupers!

—¡Cómo demonios conocéis mi nombre!—dijo Febo.

—No solamente conozco vuestro nombre—prosiguió el hombre de la capa, con voz sepulcral; sé también que tenéis una cita esta noche.

—Es verdad—respondió Febo estupefacto.

—A las siete.

—Sí; dentro de un cuarto de hora.

—En casa de la Falourdel.

—Precisamente allí, sí señor.

—La alcahueta del Pont Saint Michel.

—De San Miguel arcángel, como reza el padrenuestro.

—¡Impío!—gruñó el espectro.—¿Con una mujer?

—Confiteor.

—Que se llama...

—La Esmeralda—contestó Febo despreocupadamente, a la vez que notaba cómo su aplomo le iba volviendo gradualmente.

Al oír ese nombre, la garra de la sombra sacudió con furor el brazo de Febo.

—Mentís, capitán Febo de Châteaupers.

El que hubiera podido ver en aquel momento el rostro encendido del capitán, el salto que dio hacia atrás, tan violento que logró soltarse de las tenazas que le sujetaban, el gesto de bravura con el que echó su mano a la empuñadura de la espada sin que la inmovilidad de aquella sombra se perturbara un solo instante; el que hubiera visto todo esto habría sentido miedo. Era como el combate de don Juan con la estatua del comendador.

—¡Por Cristo y Satanás!—gritó el capitán.—¡Esa palabra ha sido oída muy pocas veces por los oídos de un Cháteaupers! No te atreverás a repetirla.

—¡Mentís!—repitió fríamente la sombra.

Los dientes del capitán rechinaron y se olvidó en ese momento de fantasmas encapuchados y de supersticiones. Sólo sentía que un hombre le insultaba.

—¡Eso está muy bien!—dijo entre balbuceos con una voz ahogada por la rabia. Sacó su espada y luego, tartamudeando, pues la cólera hace temblar igual que el miedo.—¡Aquí! ¡Ahora mismo! ¡Las espadas, las espadas! ¡Sangre en el empedrado!

El otro no se movió siquiera. Cuando vio a su adversario en guardia y presto a batirse, dijo con un acento vibrante de amargura:

—Capitán Febo, olvidáis vuestra cita.

Los arrebatos de hombres como Febo son como sopas de leche en las que una gota de agua fría es suficiente para detener la ebullición. Aquellas palabras hicieron bajar la espada que refulgía en las manos del capitán.

—Capitán—prosiguió el hombre, mañana, pasado mañana, dentro de un mes o dentro de diez años me encontraréis presto a cortaros el cuello, pero ahora id a vuestra cita.

—En efecto—dijo Febo, como queriendo capitular consigo mismo; son dos cosas maravillosas tener una cita con una espada y con una mujer, pero no veo, por qué he de perder la una por la otra si puedo disponer de las dos.

Y envainó su espada.

—Id a vuestra cita—insistió el desconocido.

—Señor—respondió Febo atropelladamente,—muchas gracias por vuestra cortesía. En realidad siempre tendremos tiempo mañana, o cuando sea, de llenar de puntadas y ojales el jubón de nuestro padre Adán. Os agradezco vuestra gentileza en permitirme pasar un cuarto de hora agradable. En verdad esperaba dejaros tumbado en el arroyo y disponer aún de tiempo para la bella, pensando que es de buen tono hacer esperar un poco a las mujeres en tales situaciones, pero me parecéis valiente y es mejor dejar la partida para mañana. Voy, pues, a mi cita de las siete como vos sabéis muy bien—al decir esto Febo se rascó la oreja.—¡Por los cuernos del diablo! ¡Ya lo olvidaba! No tengo ni un octavo para pagar el alquiler de la buhardilla y la vieja bruja querrá cobrarse por adelantado pues no se fía de mí.

—Aquí tenéis con qué pagar.

Febo sintió que la fría mano del desconocido deslizaba en la suya una moneda de buen tamaño. No pudo evitar aceptarla y estrechar aquella mano.

—¡Por Dios que sois un buen hombre!

—Con una condición—dijo el hombre:—Probadme que es cierto lo que decís y que soy yo el equivocado. Escondedme en alguna parte desde donde pueda ver si se trata en realidad de la mujer cuyo nombre habéis mencionado.

—¡Oh!—respondió Febo;—eso me da igual. Nos quedaremos en la habitación de Santa Marta. Podréis verlo todo a vuestro gusto desde la perrera que hay al lado.

—Venid, pues—dijo la sombra.

—A vuestras órdenes—respondió el capitán. No sé si sois micer Diabolus en persona pero, por esta noche seamos buenos amigos que mañana os pagaré las deudas; las de la bolsa y las de la espada.

Y empezaron a andar rápidamente. Unos minutos más tarde el rumor del río les anunció que habían llegado al Pont Saint Michel, entonces con casas a ambos lados de su cauce.

—Primero voy a haceros entrar—dijo Febo a su compañero, y luego iré a buscar a la muchacha que me estará esperando junto al Petit Châtelet.

El compañero no respondió. Desde que se habían puesto a andar no había dicho nada. Febo se detuvo frente a una puerta baja y llamó bruscamente. Un rayo de luz surgió por entre las rendijas de la puerta.

—¿Quién llama?—preguntó una voz desdentada.

—¡Por el cuerpo de Cristo y por su cabeza! ¡Por el vientre de Dios!—respondió el capitán. La puerta se abrió al instante, apareciendo en ella una vieja temblorosa sosteniendo una lámpara en sus manos no menos temblorosas. La vieja estaba casi doblada en dos, iba vestida de harapos y se le movía continuamente la cabeza en cuya cara aparecían dos ojos muy pequeños. Llevaba un pañuelo sujetándola el pelo y tenía arrugas en todas partes, en la cara, en las manos en el cuello; los labios se le apretaban contra las encías y tenía alrededor de la boca como unos pinceles de pelo blanco que le daban el aspecto de un gato. El interior del cuchitril aquel no estaba menos deteriorado que ella. Estaba formado por unas paredes de yeso, unas vigas negruzcas en el techo, una chimenea desmantelada, telas de araña por todos los rincones y en el centro unas cuantas mesas y taburetes mal calzados, un niño sucio junto a las cenizas de la chimenea y al fondo una escalera o más bien una escala de madera que conducía a una trampilla abierta en el techo. Al entrar en aquella madriguera, el misterioso compañero de Febo se embozó hasta los ojos. Al llegar al piso superior, colocó la lámpara en un arcón y Febo, como viejo conocido de la casa, abrió una puerta que daba a un cuartucho oscuro.

—Entrad ahí, amigo—le dijo a su compañero. El hombre de la capa obedeció sin pronunciar una sola palabra y la puerta se cerró tras él. Oyó cómo Febo corrió el cerrojo y cómo un momento más tarde bajaba la escalera con la vieja. La luz había desaparecido.

XX. UTILIDAD DE LAS VENTANAS QUE DAN AL RÍO

Hacía ya un cuarto de hora que estaba esperando y le parecía haber envejecido un siglo, cuando de pronto oyó crujir las tablas de la escalera. Alguien estaba subiendo. La trampilla se abrió y apareció un rayo de luz pues en la portezuela apolillada de aquel cuchitril había una rendija bastante ancha a la que pegó inmediatamente su cara. Así podría ver todo lo que ocurriera en la habitación de al lado. La vieja con cara de gato fue la primera en pasar por la trampilla; llevaba una lámpara a iba seguida de Febo que se retocaba el bigote; después seguía una tercera persona que no era sino la bella y graciosa figura de la Esmeralda. El sacerdote la vio surgir de abajo como una aparición deslumbrante. Claude se echó a temblar; una especie de nube cubrió sus ojos y notaba en sus arterias la presión del corazón. Todo comenzó a zumbar y a girar a su alrededor y ya no vio ni oyó nada más.

Cuando volvió en sí, Febo y la Esmeralda se encontraban solos, sentados en el arcón de madera, al lado de la lámpara, cuya luz permitía destacar perfectamente las figuras de los dos jóvenes; había también un miserable camastro al fondo de aquel cuartucho.

Junto al camastro una ventana cuyo cristal hundido, como una tela de araña mojada por la lluvia, dejaba ver un pedazo de cielo y la luna tumbada a lo lejos entre blandos edredones de nubes.

La joven estaba ruborizada, violenta, excitada. Sus largas pestañas daban sombra de púrpura a sus mejillas y el oficial, al que no se atrevía ni a mirar, estaba radiante. Distraídamente y con un gesto encantadoramente torpe iba trazando con su dedo unas líneas incoherentes sobre el banco y luego se quedaba contemplando su dedo. No podían verse sus pies pues la cabritilla estaba echada encima.

Mucho le costó a Claude enterarse de lo que decían a causa del zumbido de su sangre y de su propia confusión.

(Nada hay más banal que la charla de dos enamorados; se limita a una repetición continua de «te amo»; frase musical bastante torpe a insípida para quienes la escuchan indiferentes si no va adornada con alguna floritura. Pero Claude no los estaba escuchando con indiferencia.)

—¡Oh! —Decía la joven sin levantar los ojos,— no me despreciéis, señor Febo, comprendo que está muy mal lo que estoy haciendo.

—¡Despreciaros, mi bella niña!—respondía el capitán con un aire de galantería superior y distinguida.—¿Por qué iba a despreciaros?

—Por haberos seguido hasta aquí.

—En este punto no vamos a ponernos de acuerdo, preciosa. No debería despreciaros sino odiaros.

La joven se le quedó mirando asustada.

—¿Odiarme? ¿Qué es lo que os he hecho?

—Por haberos hecho tanto de rogar.

—¡Ay!—le respondió, es que si falto a mi promesa... no encontraré a mis padres... y el amuleto perderá su hechizo... Pero... ¡qué me importa ahora tener padre y madre!

Y al decir esto fijaba en el capitán sus enormes ojos negros, humedecidos por la felicidad y la ternura.

—¡Al diablo si os entiendo!—exclamó Febo.

La Esmeralda permaneció silenciosa unos momentos y luego, con una lágrima en sus ojos y un suspiro en sus labios, dijo.

—¡Os amo señor!

Rodeaba a la joven tal perfume de castidad y tal encanto de virtud que Febo no acababa de encontrarse a gusto junto a ella. Sin embargo se sintió enardecido por aquella confesión.

—¡Que me amáis, decís?—esbozó entusiasmado al tiempo que pasaba su brazo por la cintura de la gitana.

Era ésta la ocasión que estaba esperando. El sacerdote lo vio y tocó con la yema del dedo un puñal que llevaba oculto en el pecho.

—Febo—prosiguió con dulzura la gitana apartando suavemente de su talle las manos tenaces del capitán,—sois bueno, generoso y bello y me habéis salvado a mí que no soy más que una pobre muchacha perdida en Bohemia. Hace mucho tiempo que sueño con un oficial que me salva la vida. Ya soñaba con vos antes de conoceros, Febo. En mi sueño había un hermoso uniforme, como el vuestro, una gran apostura, una espada. Además os llamáis Febo que es un nombre muy bonito; me gusta vuestro nombre y vuestra espada. Sacadla, Febo, para que pueda verla.

—¡Qué niña!—dijo el capitán al tiempo que desenvainaba su sable sonriente. La gitana miró la empuñadura, la hoja y examinó con adorable curiosidad las iniciales de la guarda y besó la espada diciéndole.

—Sois la espada de un valiente. Amo a mi capitán.

Febo aprovechó nuevamente aquella ocasión para besar su hermoso cuello, lo que hizo que la joven, escarlata como una cereza, se incorporara.

Los dientes del archidiácono rechinaron en la oscuridad de su escondrijo.

—Febo, dejadme hablaros—dijo la gitana. Andad un poco para que pueda ver lo apuesto que sois y para que oiga resonar vuestras espuelas. ¡Qué guapo sois!

El capitán se levantó para complacerla riñéndola con una sonrisa de satisfacción.

—¡Sois como una niña! A propósito, encanto, ¿me habéis visto alguna vez con uniforme de gala?

—No—¡Qué lástima! —le respondió ella.—

¡Eso sí que me cae bien!

Febo volvió a sentarse pero en esta ocasión mucho más cerca de ella.

—Escuchad, querida.

La gitana le dio unos golpecitos en la boca con su linda mano, con un gesto lleno de gracia y de alegría.

—No, no os escucharé. ¿Me amáis? Quiero oíros decir que me amáis.

—¡Que si te amo, ángel de mi vida!—exclamó el capitán arrodillándose. Mi cuerpo, mi alma, mi sangre, todo es tuyo, todo es para ti. Te quiero y no he querido a nadie más que a ti.

El capitán había repetido tantas veces esta misma frase y en tantas situaciones tan similares que la soltó de corrido y sin un solo error. Ante esta declaración apasionada, la egipcia dirigió hacia el sucio techo, a falta de un cielo mejor, una mirada llena de angélica felicidad.

—¡Oh! —dijo entre murmullos;—¡éste es uno de los momentos en que uno debería morir!

Febo dedujo que era un buen «momento» para robarle otro beso, que sirvió para prolongar la tortura del archidiácono en su miserable rincón.

—¡Morir!—exclamó el enamorado capitán. ¿Qué es lo que estáis diciendo, ángel mío? ¡Es justamente el momento de vivir! ¡Morir al comienzo de algo tan dulce! ¡Por los cuernos de un buey, qué tontería! ¡Ni hablar!; escuchadme mi querida Similar... Esmenarda... Perdón, pero vuestro nombre es tan prodigiosamente sarraceno que me resulta difícil pronunciarlo. Es como la espesura por donde sólo despacio se puede andar.

-¡Dios mío! —dijo la pobre muchacha.—¡Yo que creía que mi nombre era bonito por su singularidad!, pero, puesto que no os agrada, me gustaría llamarme Goton.

—¡Ay! ¡No hay que llorar por cosas tan triviales, encanto! Es un nombre al que sólo hay que acostumbrarse y eso es todo; en cuanto me lo aprenda bien, saldrá solito; ya verás. Escuchadme, querida Similar, os adoro con pasión. Y lo que es realmente milagroso es que os amo de verdad. Sé de una jovencita que se muere de rabia.

La joven, un poco celosa, le interrumpió.

—¿Quién es?

—¡Qué más nos da!—dijo Febo. ¿Vos me amáis?

—¡Oh!—exclamó ella.

Pues entonces no hay más que hablar. Ya veréis cómo también yo os amo. Que Neptuno me ensarte si no os hago la criatura más feliz del mundo. Encontraremos una casita en cualquier parte y haré desfilar a mis arqueros bajo vuestras ventanas. Van todos a caballo y dejan pequeños a los del capitán Mignon. Hay ballesteros, lanceros y culebrines de mano. Os llevaré a ver las grandes maniobras de los parisinos al campo de Rully. ¡Es magnífico! ¡Ochenta mil hombres armados y treinta mil arneses blancos! Las sesenta banderas de todos los cuerpos, estandartes del parlamento, del tribunal de cuentas, del tesoro de los generales... en fin, una parada de todos los demonios. Os enseñaré los leones del palacio del rey, que son bestias realmente salvajes. A todas las mujeres les gusta mucho.

Hacía ya algún tiempo que la muchacha, subyugada por sus felices pensamientos, estaba soñando al eco de la voz del capitán, pero no escuchaba sus palabras.

—¡Oh! ¡Ya lo creo que seréis feliz!—proseguía el capitán al tiempo que soltaba suavemente el cinturón de la gitana.

—Pero, ¿qué estáis haciendo?—dijo ella con presteza.

Aquella vía de hecho la había despertado de sus fantasías.

—Nada—respondió Febo.—Sólo decía que sería conveniente abandonar toda esta vestimenta de fantasía y de bailarina cuando viváis conmigo.

—¡Cuando viva contigo, mi querido Febo!—dijo la joven con ternura. Y se quedó silenciosa y pensativa.

El capitán, animado por esa ternura, la tomó nuevamente del talle sin que ella se resistiera y comenzó muy suavemente a soltar los lazos de la blusa de la muchacha y soltó tanto su gorgueruelo que el archidiácono, nervioso, vio aparecer por entre el tul de la blusa el bello hombro desnudo de la gitana, suave y moreno cual una luna surgiendo en el horizonte entre brumas.

La joven dejaba hacer a Febo y parecía no darse cuenta de ello. La mirada del joven capitán se encendía.

De pronto, volviéndose hacia él con expresión amorosa, le dijo:

—Febo, tienes que instruirme en tu religión.

—¿En mi religión?—exclamó Febo soltando una risotada. ¡Instruiros yo en mi religión! ¡Rayos y truenos! ¿Qué pensáis hacer con mi religión?

-Es para casarnos—respondió ella.

El rostro del capitán adquirió una expresión que reflejaba al mismo tiempo la sorpresa y el desdén, la despreocupación y la pasión libertina.

—Pero, bueno, ¿nos vamos a casar?

La gitana se quedó pálida y dejó caer tristemente la cabeza sobre su pecho.

—Veamos, mi bella enamorada. ¿Qué locuras son ésas? ¡Valiente cosa el matrimonio! ¿Se es acaso menos amante por no haber soltado unos latinajos delante de un cura?

Y mientras decía estas cosas con una voz dulce, se iba aproximando cada vez más a la gitana; sus manos acariciadoras habían vuelto a su posición primera, rodeando aquel talle tan fino y grácil; sus ojos se encendían con más viveza y todo anunciaba que el señor Febo había llegado a uno de esos momentos en que el mismo Júpiter hace tantas tonterías que el bueno de Homero se ve obligado a llamar a una nube en su ayuda.

Sin embargo, Claude lo presenciaba todo; aquella portezuela estaba hecha con duelas de tonel, podridas ya, que le permitían ver cómodamente a través de sus anchas rendijas. Aquel sacerdote de piel cetrina y de anchos hombros, condenado hasta entonces a la austera virginidad del claustro, se estremecía y enardecía ante aquellas escenas de amor de noche y de voluptuosidad.

Aquella joven y hermosa muchacha, entregada apasionadamente a aquel otro joven ardoroso, le encendía la sangre en sus venas y se producían en su interior extrañas reacciones. Su vista se perdía, celosa y lasciva, en lo que las manos del capitán iban desvelando.

Si alguien entonces hubiera podido contemplar el aspecto del desventurado clérigo pegado a aquellas tablas apolilladas habría creído ver a un tigre observando cómo un chacal devoraba a una gacela. Sus pupilas brillaban como ascuas a través de las grietas de la puerta.

De pronto, Febo arrancó de un gesto rápido el gorgueruelo de la gitana. La pobre muchacha que se había quedado pálida y soñadora, reaccionó con un sobresalto y se separó bruscamente del intrépido capitán al ver desnudos su cuello y sus hombros, roja de confusión y muda de vergüenza, cruzó sus brazos sobre sus senos para ocultarlos. A no ser por el fuego encendido de sus mejillas, viéndola así silenciosa a inmóvil, se habría dicho que era la estatua del pudor. Sus ojos se mantenían bajos. Pero aquel gesto del capitán puso al descubierto el misterioso amuleto que le colgaba del cuello.

—¿Qué es esto?—le dijo tomándolo como pretexto para acercarse de nuevo a la joven a la que acababa de asustar.

—No lo toquéis—respondió ella con viveza,—es mi guardián. Él me permitirá un día encontrar a mi familia. Si me conservo digna de ello. ¡Oh! ¡Dejadme, capitán! ¡Madre mía, mi pobre madre! ¿Dónde estás? ¡Ayúdame! ¡Por favor, señor Febo, devolvedme mis prendas!

Febo retrocedió y dijo fríamente.

—¡Ay! ¡Ya veo que no me queréis!

—¡Que no os amo! —exclamó la pobre desventurada, al tiempo que se abrazaba al capitán, al que hizo sentarse a su lado.—¡Que no os amo, Febo de mi alma! ¡Que no os amo, Febo de mi vida! ¡Qué estás diciendo, cruel, que me desgarras el corazón! ¡Tómame! ¡Tómame toda! ¡Haz de mí lo que desees! ¡Soy toda tuya! ¡Qué puede importarme el amuleto! ¡Qué me importa mi madre! ¡Tú eres mi madre pues es a ti a quien yo amo! ¡Febo, mi bien amado Febo! ¿Me ves? Soy yo, mírame. Soy esa muchacha, a la que tú no deseas abandonar, que viene a ti, que te busca. Mi vida, mi alma, mi cuerpo, todo os pertenece, capitán. No nos casaremos si eso te disgusta; pero además, ¿quién soy yo? Una desgraciada mujer del arroyo, mientras que tú, Febo, eres un gentilhombre. ¡Buena cosa en verdad! ¡Una bailarina casándose con un oficial! ¡Estaba loca! No, Febo, no. Seré tu amante, tu diversión, tu placer. Siempre que lo desees seré tuya. ¡Qué me importa ser despreciada, manchada, deshonrada! Para eso he nacido. ¡Ser amada! Seré la más feliz y la más orgullosa de todas las mujeres. Y cuando sea vieja y fea, Febo, cuando ya no sirva para amaros, entonces aún podré serviros; otras os bordarán pañuelos; yo seré la criada que se ocupará de vos; me permitiréis sacar brillo a vuestras espuelas, cepillar vuestro uniforme, quitar el polvo a vuestras botas de montar. ¿Verdad, Febo mío, que me permitiréis hacerlo? Mientras tanto, ¡tómame! ¡Toma, Febo, todo te pertenece! ¡Ámame, no te pido más! Nosotras las gitanas sólo eso necesitamos: amor y aire libre.

Y mientras así hablaba, colgaba sus brazos del cuello del oficial; le miraba alzando los ojos, suplicante, con una bella sonrisa y toda llorosa mientras su delicado pecho rozaba la sobreveste de paño y los ásperos bordados. Su bello cuerpo medio desnudo se juntaba a sus rodillas.

El capitán, embriagado de deseo, colocó sus ardientes labios en aquellos bellísimos hombros africanos. La muchacha, con la mirada perdida en el techo, echada hacia atrás, se estremecía jadeante bajo aquel beso.

De pronto, por encima de la cabeza de Febo, ella vio otra cabeza, un rostro lívido, verdoso, convulsionado, con una mirada de condenado y junto a aquella cara, vio también una mano que sostenía un puñal. Eran la cara y la mano del archidiácono que había roto la puerta y que estaba allí, aunque Febo no podía verle. La joven permaneció inmóvil, helada, muda, ante aquella espantosa visión, como una paloma que levantara su cabeza en el momento mismo en que el gavilán fija en su nido una mirada de presa con sus ojos redondos.

Ni siquiera pudo lanzar un grito. Vio cómo el puñal descendía sobre Febo y luego volvía a elevarse, humeante.

—¡Maldición!—dijo el capitán y cayó al suelo.

Ella se desvaneció.

En el momento en que sus ojos se cerraban, cuando todas sus sensaciones se desvanecían, creyó percibir en sus labios un contacto de fuego, un beso más abrasador que el hierro rojo de un verdugo.

Cuando recobró sus sentidos, se hallaba rodeada de los soldados de ronda que se llevaban al capitán, bañado en sangre; el clérigo había desaparecido; la ventana del fondo, que daba al río, estaba abierta de par en par, Recogieron una capa que suponían debía pertenecer al oficial y oyó a alguien decir cerca de ella.

—Es esta bruja la que ha apuñalado al capitán.

XXI. EL ZAPATITO

Al principio, cuando los truhanes asaltaron la iglesia, la Esmeralda dormía, pero más tarde los ruidos en torno al edificio iban aumentando y entre eso y los balidos cada vez más inquietos de la cabra, que se había despertado antes que ella, la sacaron de su sueño. Incorporada en la cama había escuchado primero y mirado a su alrededor después, asustada por el resplandor y el ruido, salió de la celda para intentar ver qué estaba ocurriendo. El aspecto de la plaza, el espectáculo que allí tenía lugar, el desorden de aquel asalto nocturno, aquel gentío repulsivo, moviéndose come una invasión de ranas, adivinada apenas entre las sombras, aquella mezcla de voces roncas de la multitud. La idea de llegar a perder nuevamente la vida, la esperanza, Febo, al que entreveía siempre en su futuro, la nada profunda de su propia debilidad, la imposibilidad de una huida, la carencia de ayuda, su abandono, su total aislamiento..., todos estos pensamientos y mil más la habían asaltado.

Había caído de rodillas, con la cabeza en la cama, llena de ansiedad y de miedo; aunque era gitana. idólatra y pagana, estaba pidiendo, entre sollozos, ayuda al Dios de los cristianos y se había puesto a rezar a Nuestra Señora, que la había acogido en su iglesia pues, aunque no se crea en nada, hay momentos en la vida en que uno siempre se acoge a la religión del templo que más a mano se tiene. Y así permaneció arrodillada durante mucho tiempo; temblando en realidad más que rezando; helada ante los ruidos cada vez más cercanos de aquella multitud enfurecida; sin entender el porqué de aquella furia ignorante de lo que se estaba tramando, de lo que ocurría y de lo que se pretendía pero con el presentimiento de un final terrible.

Y en medio de aquella angustia oye pasos próximos a ella; se vuelve y ve que dos hombres que llevan un farol acaban de entrar en la celda. La Esmeralda lanzó un débil grito.

—No temáis; soy yo—dijo una voz que no le resultaba desconocida.

—¿Quién sois vos?—preguntó ella.

—Pierre Gringoire.

Aquel nombre la tranquilizó; abrió los ojos y efectivamente reconoció al poeta. Había también junto a él una figura negra, cubierta de pies a cabeza que la hizo enmudecer.

—¡Ah! —prosiguió Gringoire con un cierto tono de reproche.—Djali me ha reconocido antes que vos.

En efecto, la cabritilla no había esperado a que Gringoire se identificara y nada más entrar se frotaba tiernamente entre sus piernas, abrumando al poeta de caricias y de pelos blancos pues escaba pelechando. Gringoire le devolvió las caricias.

—¿Quién está con vos?—le preguntó la gitana en voz baja.

—Tranquilizaos—respondió Gringoire,—es un amigo.

Entonces el filósofo, dejando el farol en el suelo, se agachó y empezó a gritar con gran contento, apretando a Djali entre sus brazos.

—¡Oh! ¡Qué animalito tan gracioso! Es más interesante ver su limpieza que ver su altura, sin duda, pero ingenioso sutil y más culto que un gramático. Vamos a ver, Djali ¿has olvidado alguno de tus trucos? ¿Cómo hace maese Jacques Charmolue?...

El hombre de negro no le dejó acabar. Se acercó a Gringoire y le empujó con rudeza. Gringoire se levantó.

—Es verdad; me olvidaba de las prisas que tenemos. Pero eso, maestro, no es ninguna razón para empujar así a la gente.

—Mi querida y hermosa niña, vuestra vida está en peligro y la de Djali también. Somos vuestros amigos y venimos a salvaros. Seguidnos.

—Es verdad—exclamó la gitana consternada.

—Sí; es verdad, venid pronto.

—Os seguiré—respondió. Pero, ¿por qué no habla vuestro amigo?

—¡Ah! Es que su padre y su madre eran gente muy rara y le formaron un temperamento taciturno.

Tuvo que contentarse con aquella explicación porque su compañero la tomó por la mano, cogió el farol y echó a andar. El miedo aturdía a la joven que se dejó llevar. La cabra les seguía, retozona tan contenta por haber encontrado a Gringoire, que le obligaba a tropezar a cada paso, al meterle los cuernos entre las piernas.

—Así es la vida—decía el filósofo cada vez que estaba a punto de caer; con frecuencia son nuestros mejores amigos los que nos hacen caer.

Bajaron rápidamente la escalera de las torres y atravesaron la iglesia en medio de la oscuridad. Estaba vacía pero llena a la vez de ruido lo que suponía un gran contraste. Por fin salieron al patio del claustro por la Puerta Roja. El claustro se encontraba solitario, pues los canónigos habían huido al obispado para rezar en común; también el patio estaba vacío y podían descubrirse, acurrucados en los rincones más oscuros, algunos lacayos, aterrados por el estrépito. Se dirigieron a la portezuela que comunicaba el patio con el Terrain; el hombre de negro la abrió con una llave que llevaba consigo.

El hombre del farol se fue hacia la punta del Terrain. Había allí, al borde del río, los restos carcomidos de unas estacas, unidas con listones, por los que trepaba una parra cuyas débiles ramas semejaban los dedos extendidos de una mano abierta; detrás, entre la oscuridad de aquel emparrado, estaba oculta una pequeña barca. El hombre hizo señas a Gringoire y a su compañera para que entraran. La cabra les siguió. El hombre entró al último. Luego soltó las amarras de la barca, la alejó de la orilla con un largo bichero y cogiendo dos remos se sentó en la proa y empezó a remar con fuerza hacia el centro del río. El Sena es muy rápido en ese lugar y le costó bastante alejarse de la punta de la isla.

Lo primero que hizo Gringoire, cuando estuvo en la barca, fue poner a la cabra en sus rodillas. Se sentó en la popa y la muchacha, a quien el desconocido inspiraba una inquietud difícil de definir, se sentó a su lado apretándose contra el poeta.

Cuando nuestro filósofo vio que la barca se movía, se frotó las manos y besó a Djali entre los cuernos.

—¡Oh!—dijo contento. ¡Ya estamos salvados los cuatro! —y añadió poniendo cara de profunda reflexión. El éxito de las grandes empresas se debe a veces a la fortuna y a veces a la astucia.

La lancha remaba lentamente hacia la orilla derecha. La muchacha seguía observando con un terror secreto al desconocido que, por otra parte, había tapado cuidadosamente la luz de la linterna sorda.

El hombre de negro dejaba hablar al poeta charlatán y seguía luchando contra la corriente fuerte y violenta que separa la popa de la Cité de la proa de la isla de Nuestra Señora, que hoy llamamos isla de San Luis.

—¡A propósito, maestro! —dijo súbitamente Gringoire.—

Cuando llegábamos al Parvis, en medio de todos aquellos furiosos truhanes, ¿se fijó vuestra reverencia en el pobre diablo al que vuestro sordo estaba machacando la cabeza contra la rampa de la galería de los reyes? No tengo buena vista y no pude reconocerle. ¿Sabéis vos quién podía ser?

El desconocido no respondió una sola palabra pero dejó bruscamente de remar y sus brazos desfallecieron como si se hubieran roto y su cabeza le cayó sobre el pecho. La Esmeralda oyó entonces cómo suspiraba convulsivamente y se estremeció a su vez. ¡Ya había oído en alguna ocasión aquella forma de suspirar!

La barca, abandonada a sí misma, derivó algunos instantes a favor de la corriente pero el hombre de negro se rehízo en seguida, tomó de nuevo los remos y volvió otra vez a remontar río arriba. Dobló la isla de Nuestra Señora y se dirigió hacia el embarcadero del Port au Foin.

El tumulto se acrecentaba efectivamente alrededor de Nuestra Señora. Escucharon con atención y oyeron con claridad gritos de victoria. De pronto cientos de antorchas, que hacían resplandecer los cascos de los soldados comenzaron a verse por todas las partes de la catedral; por las torres, por las galerías, por los arbotantes. Daba la impresión de que todas aquellas luminarias buscaban algo y muy pronto aquellos clamores lejanos llegaron nítidamente hasta los fugitivos:

—¡La gitana! ¡A por la bruja! ¡Muerte a la gitana!

La desventurada dejó caer la cabeza sobre sus manos y el desconocido se puso a remar con más furia hacia la orilla. Nuestro filósofo, sin embargo, se había quedado pensativo. Sujetaba fuertemente a la cabra entre sus brazos al tiempo que se apartaba muy despacito de la gitana, que se apretaba cada vez más contra él, como si fuera el último refugio que le quedara.

Gringoire se hallaba en una cruel perplejidad. Pensaba que también la cabra, según la legislación vigente, sería colgada, si se la cogiera, lo que no dejaría de ser una gran pena. ¡La pobre Djali! Pensaba que era demasiado el tener junto a él a dos condenados y que, en fin, su compañero se quedaría encantado de hacerse cargo de la gitana. En su pensamiento se libraba un violento combate, en el cual, como el Júpiter de la Ilíada, sopesaba alternativamente a la gitana y a la cabra. Miraba a la una y a la otra con ojos llorosos, diciéndose entre dientes.

—Pero es que no puedo salvaros a las dos.

Una sacudida les advirtió por fin que la lancha había atracado. En la Cité seguía oyéndose el mismo griterío siniestro de antes. El desconocido se levantó, se acercó a la gitana y quiso asirla del brazo para ayudarla a bajar, pedo ella le rechazó al tiempo que se agarraba de la manga de Gringoire. Éste, a su vez, ocupado con la cabra, casi la rechazó y entonces ella saltó sola de la barca. Se encontraba tan confusa que no sabía ni lo que estaba haciendo ni a dónde dirigirse. Durante un instante, se quedó sola mirando al agua. Cuando, al poco tiempo volvió en sí, se encontró sola con el desconocido en el atracadero. Parece que Gringoire había aprovechado el momento del desembarco para desaparecer con la cabra por entre la manzana de casas de la calle Grenier sur l'eau.

La pobre gitana se estremeció al verse sola con aquel hombre. Quiso hablar gritar, llamar a Gringoire, pero su lengua estaba inerte en su boca y no pudo salir de sus labios ningún sonido. De pronto sintió que el desconocido la cogió de la mano. Era una mano fría y fuerte. Sus dientes se entrechocaron y se quedó más pálida que el rayo de luna que la estaba iluminando. El hombre no dijo una palabra y tomó a grandes pasos el camino de la plaza de Grève, llevándola de la mano. Ella presintió entonces, aunque vagamente, que el destino es una fuerza irresistible. Carecía de fuerzas para oponerse y se dejó llevar. Su paso era muy ligero para seguir la marcha del hombre de negro. El muelle era, en aquel lugar, bastante empinado, pero ella habría dicho que iban cuesta abajo.

Miró hacia todos los lados y no vio a nadie. El muelle estaba totalmente desierto. No se oía más ruido ni más ajetreo de hombres que por el lado de la Cité, tumultuosa y enrojecida. Sólo un brazo del Sena la separaba de ella y desde allí oía su nombre mezclado con gritos de muerte. El resto de París se extendía a su alrededor y no eran más que bloques enormes de sombra.

Pero el desconocido seguía silencioso y avanzaba con rapidez. Ella no era capaz de reconocer ninguno de los lugares que atravesaban.

Al pasar ante una ventana iluminada, hizo un esfuerzo, se irguió bruscamente y gritó:

—¡Socorro!

Alguien abrió la ventana y apareció en camisón, con una lámpara en la mano. Miró hacia el muelle, sorprendido, dijo algunas palabras que ella no logró oír y cerró. Era el último rayo de esperanza que se esfumaba.

El hombre de negro no profirió una sola palabra, la sujetó de la mano con más fuerza, y siguió andando con rapidez. Ella ya no opuso resistencia y le siguió.

De vez en cuando se recuperaba un poco, y decía con voz entrecortada por los baches del suelo y por el ahogo de la carrera.

—¿Quién sois? ¿Quién sois?—pero él no respondía.

Llegaron así, siguiendo siempre el camino del muelle, a una plaza bastante grande; era la Grève. Había un poco de luna y se podía distinguir, plantada en el centro, una especie de cruz negra. Era la horca. Entonces, al recordar todo aquello, supo en dónde estaba.

El hombre se detuvo, se volvió hacia ella y levantó la capucha.

—¡Oh!—exclamó petrificada la joven, ¡sabía que era él!

Era el sacerdote. Parecía su propio fantasma, aunque era una impresión producida por la luz de la luna. Es como si, bajo esta luz, sólo se vieran los espectros de las cosas.

—Escucha—le dijo,—y se estremeció la joven al sonido de aquella voz funesta que hacía ya mucho tiempo que no escuchaba. Siguió hablando con frases cortas y jadeantes que revelaban profundos temblores internos.

—Escúchame. Estamos aquí. Voy a hablarte. Esto es la Grève. Nos encontramos en una situación extrema. El destino nos entrega el uno al otro. Yo voy a decidir sobre tu vida y tú sobre mi alma. Estamos aquí de noche y en una plaza; sin más. Así que escúchame. Quería decirte... En primer lugar no me hables de tu Febo—mientras decía estas cosas, iba y venía, inquieto, como un hombre incapaz de permanecer tranquilo en un lugar, y la acercaba hacia él. No me hables de él. ¿Me oyes? No sé lo que sería capaz de hacer si pronuncias ese nombre, pero seguro que sería algo terrible.

Una vez dicho esto, como un cuerpo que encuentra su centro de gravedad, se quedó inmóvil pero a través de sus palabras se adivinaba aún una gran agitación. Su voz era cada vez más baja.

—No vuelvas la cabeza y escúchame, pues se trata de algo muy serio. En primer lugar, voy a contarte lo que ha ocurrido. Te juro que no es para tomarlo en broma. Pero, ¿qué es lo que lo estaba diciendo? ¡Recuérdamelo! ¡Ah, sí! Hay un decreto del parlamento por el que se le entrega a la horca. Acabo de arrancarte de sus manos. Pero vienen persiguiéndote, ¿los ves?

Extendió su brazo señalando hacia la Cité en donde la búsqueda parecía seguir. Los ruidos y las voces se acercaban. La torre de la casa del lugarteniente, situada frente a la Gréve, estaba llena de ruidos y de luces y se veían correr a los soldados por el otro lado del muelle, gritando y con antorchas en la mano.

—¡La gitana! ¿Dónde está? ¡Muerte a la gitana!

—Te das cuenta de que lo están buscando y que no miento. Yo te amo. No me digas nada. No abras la boca si es para decirme que me odias pues estoy decidido a no oírlo. Acabo de salvarte y estoy decidido a no oír cosas como ésa. Aún puedo salvarte del todo pues lo he preparado muy bien. De ti depende. Si tú quieres puedo hacerlo—se interrumpió violentamente.—No; no es eso lo que tienes que decirme—y acelerando el paso y haciéndola correr pues no la había soltado la mano, se fue derecho hacia el patíbulo y, señalándole con el dedo, le dijo fríamente:—Escoge entre los dos.

Ella logró soltarse y cayó al pie del patíbulo, agarrándose a aquel apoyo fúnebre. Luego, volviendo a medias su hermosa cabeza, miró al cura por encima de sus hombros. Era como la imagen de la Virgen al pie de la Cruz. El cura seguía inmóvil, con el dedo señalando aún hacia la horca, conservando su gesto como una estatua.

Por fin la egipcia respondió.

—Me provoca menos horror que vos.

Entonces él dejó caer lentamente su brazo y se quedó mirando al suelo con un profundo abatimiento.

—Si estas piedras pudieran hablar—murmuró,—tendrían que decir que están viendo a un hombre muy desgraciado.

Y continuó hablando. La muchacha, arrodillada ante la horca y cubierta con su larga cabellera, le dejaba hablar sin interrumpirle. Lo hacía ahora con un acento quejumbroso y suave que contrastaba dolorosamente con la ruda altivez de sus rasgos.

—Pero yo os amo. Os aseguro que es bien cierto. ¿Acaso no se manifiesta externamente nada de ese fuego que me abrasa el corazón? ¡Ay! Estar así noche y día; sí; noche y día, ¿no merece acaso un poco de compasión? Es un amor constante; noche y día os repito; es una tortura. ¡Sufro demasiado, mi pobre niña! Os aseguro que es algo digno de compasión. Veis que os hablo con delicadeza. Desearía que no sintierais hacia mí esa aversión, ese horror... porque... en fin... no es culpa suya cuando un hombre se enamora de una mujer. ¡Oh, Dios mío! ¿Cómo hacer? Entonces, ¿no podréis perdonarme nunca? ¿Me odiaréis siempre? ¿No hay esperanza ninguna? ¡Ni siquiera me miráis! ¿Es posible que podáis pensar en otra cosa mientras que yo aquí, de pie, os estoy hablando y temblando en los límites mismos de nuestra eternidad? ¡Por lo que más queráis, no me habléis del capitán! Aunque me arrojase a vuestras rodillas y besara vuestros pies, ¿todo resultaría inútil? ¿Todo sería inútil aunque sollozara como un niño? Aunque me arrancase del pecho, no palabras sino el corazón y las entrañas, para deciros que os amo, ¿todo sería inútil? ¿Cómo es posible tal cosa si vos no tenéis en el alma más que ternura y clemencia? Irradiáis dulzura y sois toda suavidad, bondad, misericordia y encanto. ¡Ay! ¡Sólo para mí tenéis crueldad! ¡Oh! ¡Qué fatalidad!

Ocultó su rostro entre las manos y la joven le oyó llorar. Fue la única vez. Así, de pie, sacudido por los sollozos, parecía más miserable y suplicante que de rodillas. Estuvo llorando así durante cierto tiempo.

—¡Vaya!—prosiguió una vez pasadas las primeras lágrimas.—No encuentro palabras y sin embargo había pensado muy bien en lo que tenía que deciros. Ahora estoy temblando y me estremezco; me faltan las fuerzas en el momento preciso y siento como si algo superior nos envolviese y comienzo a balbucir. ¡Oh! Presiento que voy a derrumbarme si no tenéis compasión de mí y de vos. ¡Si supierais cómo es mi corazón! ¡Oh! ¡Qué deserción de todas las virtudes! ¡Qué abandono desesperado de mí mismo! Soy doctor y desprecio la ciencia; gentilhombre y mancillo mi apellido; sacerdote y convierto el misal en una almohada de lujuria. Escupo el rostro de mi Dios. ¡Y todo por ti, hechicera! ¡Para ser más digno de tu infierno! ¡Y tú no quieres a los condenados! Pero tengo que decírtelo todo. Hay algo que es más horrible... mucho más horrible.

Al decir estas últimas palabras su rostro adquirió una expresión totalmente turbada. Se calló un instante y prosiguió con una voz fuerte, como hablándose a sí mismo. «

Caín, ¿qué has hecho con tu hermano?».

Se hizo un silencio y prosiguió su monólogo.

—¿Qué he hecho con él, señor? Lo recogí, lo he criado, lo he alimentado, lo he amado, lo he idolatrado incluso y lo he matado. Sí señor; acaban de aplastarle la cabeza delante de mí, contra las piedras de vuestra casa. Y todo ha sido por culpa mía, por culpa de esta mujer, por culpa de ella...

Tenía una mirada hosca y su voz era cada vez más débil, aunque todavía repitió varias veces, maquinalmente y a largos intervalos, como una campana que prolonga su última vibración...

—Por culpa de ella... por culpa de ella...

Después, aunque sus labios acusaban algún movimiento, su boca no articuló ya más sonidos perceptibles. De pronto se fue doblando sobre sí mismo, como algo que se derrumba y cayó al suelo permaneciendo allí, quieto, con la cabeza entre las rodillas.

Un roce que le hizo la muchacha al retirar su pie, que había quedado bajo su cuerpo, le hizo volver en sí. Se pasó lentamente sus manos por sus mejillas hundidas, se quedó un rato mirando sus dedos con estupor y, al ver que estaban mojados, murmuró:

—¿Cómo? ¿He estado llorando?

Luego se volvió súbitamente hacia la gitana y le dijo con una angustia indecible.

—¡Ay! ¿Me habéis visto llorar sin inmutaros? ¿Sabes, muchacha, que estas lágrimas son como la lava? ¿Es verdad, pues, que nada conmueve del hombre al que se odia? ¿Podrías, pues, reírte aunque me vieras morir? ¡Yo, sin embargo, no podría verte morir! ¡Una palabra! ¡Pronuncia una sola palabra de perdón! No me digas que me amas, dime únicamente que lo intentarás y te salvaré. Si no... ¡Oh! ¡El tiempo se acaba! ¡Por lo más sagrado! Te suplico que no esperes que me haga de piedra otra vez como esta horca que también te está llamando. Piensa que tengo entre mis manos nuestros dos destinos, que yo puedo cambiar fácilmente de opinión y que puedo echarlo todo a rodar y precipitarme a un abismo sin fondo, y que mi caída, desgraciada, perseguiría tu vida durante toda la eternidad. ¡Una palabra bondadosa! ¡Dime una palabra! ¡Sólo una palabra!

Ella abrió la boca para responderle y entonces él se precipitó de rodillas ante la joven para recoger con adoración la palabra, tierna quizás, que iba a surgir de sus labios. Ella le dijo:

—¡Sois un asesino!

El cura la tomó entre sus brazos con furia y se echó a reír con una risa abominable.

—¡Muy bien! ¡Un asesino, sí, pero serás mía! Si no me quieres como esclavo me tendrás como dueño, pero serás mía. Tengo una guarida y hasta allí te arrastraré. Y vas a seguirme; será necesario que me sigas o te entregaré. ¡Tienes que morir, hermosa, o ser mía! ¡Ser del sacerdote! ¡Ser del apóstata! ¡Del asesino! ¡Desde esta misma noche! ¿Me oyes? ¡Vamos! ¡Un poco de alegría! ¡Bésame, loca! ¡La tumba o mi lecho!

Sus ojos brillaban de lujuria y de rabia y su boca lasciva enrojecía el cuello de la joven que se debatía entre sus brazos mientras él la cubría de besos rabiosos, espumantes.

—¡No me muerdas, monstruo!—le gritaba ella.—¡Oh! ¡Déjame, monje infecto! ¡Voy a arrancarte tus asquerosos cabellos y arrojártelos a puñados a la cara!

Él enrojeció primero, luego palideció y finalmente acabó dejándola y la miró con un gesto siniestro.

Ella se creyó entonces vencedora y prosiguió:

—Te he dicho que pertenezco a Febo y que es a Febo a quien amo, que es hermoso mi Febo. Tú, cura, eres viejo y horrible. ¡Vete!

Él lanzó entonces un grito violento, como un miserable al que se le aplica un hierro candente.

—¡Muere, pues!—gritó entre un rechinar de dientes. Ella, al ver su horrible mirada, quiso huir pero él la cogió de nuevo, la sacudió, la echó al suelo y se dirigió con pasos rápidos hacia la esquina de la Tour Roland, arrastrándola tras de sí por el suelo.

Una vez allí, se volvió hacia ella:

—Por última vez, ¿quieres ser mía?

—¡No!—respondió ella con energía.

Entonces él se puso a gritar:

—¡Aquí tienes a la gitana. Véngate!La joven sintió que la cogieron bruscamente por un brazo. Miró. Era un brazo descarnado que salía de un tragaluz de la pared y que la sujetaba fuertemente como un brazo de hierro.

—Sujétala bien—dijo el cura.—Es la gitana huida. No la sueltes que voy a buscar a la guardia. Vas a verla colgada.

Una risa gutural respondió desde el interior a aquellas sangrientas palabras.

La egipcia vio cómo el clérigo se alejaba corriendo en la dirección del Pont Notre Dame, por donde se oía ruido de caballos y soldados.

La muchacha había reconocido a la malvada reclusa. Jadeante de terror, intentó soltarse. Se retorció y dio bastantes tirones intensos en desesperados intentos, pero la Gudule la sujetaba con una fuerza increíble. Aquellos dedos huesudos se clavaban en sus carnes, se crispaban y la abarcaban todo el brazo. Eran más que una cadena, más que una argolla incluso; eran como una tenaza inteligente y viva que surgía del muro.

Agotada, se apoyó contra la pared y entonces se apoderó de ella el miedo a la muerte. Pensó en la belleza de la vida, en la juventud, en la naturaleza, en el amor, en Febo, en todo lo que se escapaba y en lo que iba a venir, en el clérigo que la denunciaba, en el verdugo, en el patíbulo que estaba allí, ante ella. Sintió entonces que el pánico le subía hasta la misma raíz de sus cabellos y oyó otra vez la risa lúgubre de la reclusa que le decía muy bajo.

—¡Ah! ¡Ah! ¡Ah! ¡Te van a ahorcar!

Moribunda ya, se volvió hacia el ventanuco y vio el rostro casi salvaje de la Sachette a través de los barrotes.

—¿Qué os he hecho yo?—dijo casi desmayada.

La reclusa no respondió; se puso a mascullar, canturreando casi, con irritación y rabia.

—¡Hija de Egipto! ¡Hija de Egipto! ¡Hija de Egipto!

La desventurada Esmeralda dejó caer su cabeza, que quedó oculta entre sus cabellos, como comprendiendo que no trataba con un ser humano.

De pronto la reclusa exclamó, como si la respuesta de la gitana hubiera tardado todo ese tiempo en llegar a su mente.

—¿Qué me has hecho, dices? ¡Ah! ¿Que qué me has hecho, egipcia? Está bien; escucha: yo tenía una niña, ¿sabes? Tenía una niñita. ¡Te digo que tenía una hija! ¡Una preciosa niña! Mi Agnès—dijo turbada, mientras besaba algo en la oscuridad.—¡Pues bien! ¿Te das cuenta, hija de Egipto? Me la quitaron; me robaron a mi hijita; se comieron a mi niña. Eso es lo que me has hecho.

La joven respondió como el cordero de la fábula.

—Lo lamento mucho; pero seguramente yo no había nacido entonces.

—¡Oh! ¡Sí!—continuó la reclusa.—Seguro que habías nacido. Eras de ellas. Mi hija tendría ahora tu edad. ¡Eso es! Hace quince años que estoy aquí; quince años que estoy sufriendo y rezando. Quince años hace que me golpeo la cabeza contra la pared. Y te digo que son las gitanas las que me la han robado, ¿me oyes? Y ellas me la han comido con sus dientes. ¿Tienes corazón? Imagínate a un niño que está jugando; a un niño de pecho; a un niño dormido. ¡Es algo tan inocente! ¡Pues bien! ¡Eso es lo que me robaron y me mataron! ¡Dios lo sabe muy bien! Pero hoy me toca a mí. Voy a comer carne de gitana. ¡Oh! Cómo te mordería si no hubiera estos barrotes. ¡Mi cabeza es demasiado grande! ¡Pobre niña mía! ¡Mientras estaba durmiendo! Pero aunque la hubieran despertado al cogerla, aunque se hubiera puesto a gritar, habría sido igual, ¡pues yo no estaba allí, junto a ella! ¡Ah, madres gitanas! ¡Vosotras os habéis comido a mi hija! ¡Venid ahora a ver a la vuestra!

Entonces se echó a reír o quizás eran sus dientes que rechinaban pues ambas cosas se confundían en aquella cara furiosa. Comenzaba a despuntar el alba y un reflejo ceniciento iluminaba vagamente esta escena. La horca se veía cada vez mejor en el centro de la plaza. Por el otro lado, hacia el Pont Notre Dame, la pobre joven creía oír acercarse ruido de caballos.

—¡Señora! —decía juntando las manos, y arrodillada, con el cabello revuelto, perdida, loca de espanto:—¡Señora! Tened piedad. Ya vienen. Yo no os he hecho nada. ¿Queréis verme morir de esta manera tan horrible ante vuestros ojos? Estoy segura de que sois bondadosa. Es demasiado horrible. Permitid que me salve. ¡Soltadme, por favor! ¡No quiero morir así!

—Pues devuélveme a mi hija.

—¡Piedad! ¡Piedad!

—¡Devuélveme a mi hija!

—¡En el nombre del cielo! ¡Soltadme!

—¡Devuélveme a mi hija!

Otra vez volvió a caer la joven, extenuada, rota, con la mirada vidriosa del que está en una fosa.

—Señora—dijo entre balbuceos,—ya veo que vos buscáis a vuestra hija, pero también yo busco a mis padres.

—¡Devuélveme a mi pequeña Agnés!—insistía Gudule.—¿Que no sabes en dónde puede estar? ¡Pues entonces muere tú también! ¡Escúchame! Yo era una prostituta y tenía una hija y las gitanas me la robaron, así que ya ves que tú tienes que morir también. Cuando tu madre gitana venga a reclamarte, yo le diré: ¿Sois vos su madre?, pues mirad hacia esa horca. Y también: devuélveme a mi hija. ¿Sabes dónde está mi hijita? Espera; voy a enseñarte algo. Mira; éste es su zapatito; es todo lo que me queda de ella. ¿Sabes dónde puede estar el otro? Si lo sabes dímelo, pues aunque estuviera al otro lado del mundo, iría a buscarlo andando de rodillas.

Y al decir esto, con el otro brazo que había sacado por el tragaluz, enseñaba a la gitana el zapatito bordado. Había casi amanecido y podían distinguirse con la luz del alba formas y colores.

—¡A ver ese zapatito!—dijo la egipcia presa de un estremecimiento.—¡Dios mío! ¡Dios mío!—Al mismo tiempo, con la mano que tenía libre, abrió prestamente el bolsito adornado de abalorios verdes que llevaba colgado del cuello.

—Anda, anda—mascullaba Gudule. Rebusca en tu amuleto del demonio—de pronto, se interrumpió y exclamó gritando con una voz que venía del fondo de sus entrañas.

—¡Mi hija!

La gitana acababa de sacar de su bolso un zapatito totalmente igual al otro. El zapatito llevaba atado un pergamino con este pareado:

Cuando encuentres el compañero. Tu madre te tenderá sus brazos.

Con la velocidad de un rayo, la reclusa había confrontado los zapatos, había leído la inscripción del pergamino y había pelado su cara, deslumbrante de gozo, a los barrotes de la lucera, gritando.

—¡Mi hija! ¡Mi hija!

—¡Madre! ¡Madre!—respondió la egipcia.

En este punto renunciamos a describir la escena.

El muro y los barrotes de hierro se interponían entre las dos.

—¡Oh! ¡Este muro!—gritaba la reclusa.—¡Verla y no poder abrazarla! ¡Tu mano! Dame tu mano.—la joven le pasó su brazo a través de la ventana y la reclusa se abalanzó sobre él y se puso a besarlo; así permaneció, abismada en aquel beso, no dando más signo de vida que algún sollozo que, de cuando en cuando, estremecía su cuerpo. La verdad es que estaba llorando a torrentes, en silencio, en aquella oscuridad como una lluvia de noche.

De pronto se levantó; apartó su larga cabellera gris que le caía sobre la frente y, sin decir una sola palabra, empezó a forcejear con sus dos manos sobre los barrotes de su celda como una leona furiosa. Los barrotes aguantaron aquella sacudida. Entonces se fue a buscar en un rincón de la celda una especie de adoquín que le servía de almohada y lo lanzó sobre ellos con tal violencia que uno de los barrotes se rompió lanzando mil chispas al mismo tiempo. Un segundo golpe destrozó por completo la vieja cruz de hierro que cerraba el tragaluz. Luego, con ambas manos, acabó de romper y arrancar los trozos oxidados de la reja. Hay momentos en que las manos de una mujer tienen una fuerza sobrehumana.

Una vez libre el paso, y no necesitó para ello más de un minuto cogió a su hija por la cintura y la introdujo en la celda.

—Ven; quiero sacarte del abismo—murmuró.

Luego la dejó suavemente en el suelo, para volver a cogerla otra vez.

La cogía en brazos como si siguiera siendo su pequeña Agnès. Iba y venía por la estrecha celda, ebria, alocada, gozosa, cantando, besando a su hija, hablándole, riendo, llorando; todo a la vez y arrebatadoramente.

—¡Mi hija! ¡Mi hija!—decía. ¡He recuperado a mi hija! ¡Está aquí! ¡Dios me la ha devuelto! ¡Que vengan todos! ¡Hay alguien por ahí para que vea que tengo a mi hija! ¡Dios mío, qué hermosa es! ¡Me habéis hecho esperar quince años, Dios mío, pero ha sido para devolvérmela más hermosa! ¡Pero entonces las egipcias no me la habían comido! ¿Quién me lo había dicho entonces? ¡Mi niña! ¡Hija mía! ¡Bésame! ¡Qué buenas son las gitanas! ¡Las quiero mucho! ¿Así que eres tú? ¡Por eso me saltaba el corazón cada vez que pasabas por aquí! ¡Y yo que creía que eso era odio! ¡Perdóname, mi buena Agnés, perdóname! He debido parecerte muy mala, ¿verdad? ¡Cuánto te quiero! ¿Todavía tienes aquella señal en el cuello? Vamos a ver. Sí que la tienes. —¡Oh, madre mía! —exclamó la joven encontrando por fin fuerzas para hablar.—La egipcia me lo había asegurado. Había entre nosotras una buena egipcia que murió el año pasado y que me cuidó siempre como si hubiera sido mi nodriza. Ella misma me colgó del cuello este saquito y me repetía constantemente: «Mi niña, guarda siempre esta joya. Es un tesoro que te permitirá encontrar a tu madre. Es como si llevaras siempre a tu madre colgada del cuello.» ¡Me lo había predicho la egipcia!

La Sachette estrechó una vez más a su hija entre sus brazos.

En aquel momento retumbó en la celda un ruido de armas y un galopar de caballos que parecía proceder del Pont Notre Dame y acercarse cada vez más por el muelle del río. La gitana se lanzó angustiada en los brazos de la Sachette.

¡Madre mía, salvadme! ¡Vienen los soldados!

La reclusa se quedó pálida.

—¡Cielo Santo! ¡Qué dices! ¡Había olvidado que lo buscaban! ¿Qué es lo que has hecho?

—No lo sé—respondió la desventurada joven, pero estoy condenada a muerte.

—¡A muerte!—dijo Gudule, como fulminada por un rayo.— ¡Morir!—dijo lentamente mirando a su hija.

—Sí, madre—respondió la joven medio trastornada. Quieren matarme. Míralos; vienen a buscarme. Esa horca es para mí. ¡Ya llegan! ¡Salvadme! ¡Salvadme!

En aquel momento la cabalgada pareció detenerse y se oyó una voz lejana que decía:

—¡Por aquí, maese Tristan! El sacerdote dice que la encontraremos en el agujero de las ratas.

De nuevo volvió a resonar el ruido de los caballos.

La reclusa se puso de pie con un grito desesperado.

—¡Sálvate! ¡Sálvame! ¡Hija mía! Ahora me acuerdo de todo. Tienes razón, ¡es tu muerte! ¡Horror! ¡Sálvate!

Asomó la cabeza por la ventana y la retiró con rapidez.

—Quédate—le dijo con voz baja y lúgubre, al tiempo que apretaba entre convulsiones la mano de la gitana, que se encontraba más muerta que viva. ¡Quédate! ¡No respires! Hay soldados por todas partes. No puedes salir. Hay ya demasiada luz.

Sus ojos lanzaban fuego y durante un momento se quedó sin hablar. Daba grandes zancadas por la celda deteniéndose a intervalos para arrancarse puñados de pelo que luego rompía con sus dientes.

De pronto dijo:

—Ya se acercan. Voy a hablarles. Escóndete aquí. No podrán verte. Les diré que te has escapado; que te solté yo misma.

Entonces dejó a su hija, pues todavía la tenía en brazos en un ángulo de la celda que no podía verse desde afuera. La colocó con cuidado de que ni sus pies ni sus brazos sobrepasaran la zona de sombra. Le soltó su melena negra que esparció por su vestido blanco para tratar de ocultarlo; puso ante ella su jarra y el adoquín que le servía de almohada, sus únicos muebles, imaginando que la jarra y el adoquín podrían ocultarla. Después, ya más tranquila, se puso de rodillas y rezó. El día acababa de amanecer y dejaba aún muchas sombras en el agujero de las ratas.

En aquel momento, la voz del sacerdote, aquella voz infernal, pasó muy cerca de la celda gritando.

—¡Por aquí, capitán Febo de Châteaupers.

Al oír este nombre, la Esmeralda, oculta en su rincón, hizo un movimiento.

—¡No te muevas!—le dijo Gudule.

Acababa apenas de decirlo cuando un tropel de hombres, de espadas y de caballos se detuvo en torno a la celda. La madre se levantó con rapidez y fue a colocarse ante el tragaluz para taparlo. Vio un tropel de hombres armados, de a pie y de a caballo colocados en la Gréve. El que lo mandaba desmontó y se acercó hacia la Sachette.

—¡Eh, vieja!—inquirió aquel hombre que tenía una expresión atroz, buscamos a un bruja para colgarla. Nos han dicho que tú la tenías.

La pobre madre respondió, fingiendo la mayor indiferencia posible:

—No sé muy bien lo que queréis decir.

El capitán prosiguió:

—¡Por todos los diablos! ¿Qué es lo que nos ha dicho entonces ese loco de archidiácono? ¿Dónde se ha metido?

—Monseñor—dijo un soldado, ha desaparecido.

—Ten cuidado, vieja loca—dijo el comandante:—no me mientas. Te entregaron una bruja para que la guardaras. ¿Qué has hecho con ella?

La reclusa no quiso negarlo todo por miedo a despertar sospechas y respondió con acento sincero y enfadado.

—Si me habláis de la muchacha que me han puesto en las manos hace un rato, tengo que deciros que me mordió y que tuve que soltarla. Eso es todo; dejadme tranquila.

El comandante hizo un gesto de contrariedad.

—No me vayas a mentir, viejo espectro. Me llamo Tristan l'Hermite y soy compadre del rey; Tristan l'Hermite, ¿me oyes?—y añadió mirando a la plaza de Gréve:—Es un nombre que tiene bastante «eco» en este lugar.

—Aunque fuerais Satán l'Hermite—replicó Gudule que recobraba esperanzas, no tendría otra cosa que deciros, ni podríais tampoco causarme miedo.

—Por todos los diablos—dijo Tristan;—¡esto es una comadre! ¡Ah! ¡La muchacha bruja se ha escapado! ¿Y por dónde se fue?

Gudule respondió con tono despreocupado.

—Creo que por la calle del Mouton.

Tristan volvió la cabeza a hizo señas a sus tropas para que prosiguiera la marcha. La reclusa suspiró.

—Monseñor—dijo de pronto un arquero, preguntad a la vieja bruja por qué los barrotes de su tragaluz están tan destrozados.

Aquella circunstancia provocó una gran angustia en el corazón de la infeliz madre, pero supo mantener una cierta presencia de espíritu y respondió entre balbuceos:

—Siempre han estado así.

—Bueno—prosiguió el arquero, todavía ayer formaban una hermosa cruz negra que movía a la devoción.

Tristan echó una ojeada oblicua a la reclusa.

—¡Se diría que la comadre se pone nerviosa!

La infeliz comprendió que todo dependía de su serenidad y con la muerte en el alma se echó a reír burlona. Las madres tienen fuerzas para hacer cosas así.

—¡Bah! Ese hombre debe estar borracho. Hace más de un año que la trasera de una carreta chocó contra mi tragaluz y rompió los barrotes. ¡Pues no solté injurias contra el carretero!

—Es verdad—añadió otro arquero, yo mismo estaba allí.

En todas partes se encuentra uno con personas que lo han visto todo. Aquel testimonio inesperado del arquero animó a la reclusa a la que el interrogatorio obligaba a atravesar un abismo en el filo de un cuchillo. Pero ella estaba condenada a una continua alternativa de esperanzas y de sobresaltos.

—Si lo hubiera roto una carreta—prosiguió el primer soldado, los trozos de los barrotes se habían doblado hacia adentro mientras que éstos lo están hacia afuera.

—¡Vaya, vaya!—dijo Tristan al soldado, tienes olfato de instructor del Châtelet. ¡A ver, vieja; responded a lo que os dice!

—¡Dios mío!—exclamó la reclusa, acorralada y con voz quejumbrosa, a pesar del esfuerzo por evitarlo: Os juro, monseñor, que una carreta rompió los barrotes. Ya ha dicho ese hombre que lo vio, ¿no? Y además, ¿qué tiene que ver esto con la gitana?

—¡Hum!—gruñó Tristan.

—¡Diablos!—prosiguió el soldado, halagado por el elogio del preboste—¡las roturas de los hierros se ven aún recientes!

Tristan movió la cabeza. Ella palideció.

—¿Cuánto tiempo hace lo de la carreta?

—Un mes, quince días, quizás, monseñor. ¡Ya no me acuerdo!

—Antes ha dicho que hacía más de un año—observó el soldado.

—¡Esto empieza a ser sospechoso!—dijo el preboste.

—Monseñor—gritó ella, colocada siempre ante la lucera y temerosa de que la sospecha no les empujara a meter la cabeza dentro de la celda. Monseñor, os juro que fue una carreta la que rompió la reja. ¡Os lo juro por todos los ángeles del cielo! ¡Que me vaya al infierno si no ha sido una carreta!

—Mucho calor pones en este juramento—dijo Tristan con mirada de inquisidor.

La pobre mujer sentía desvanecerse cada vez más su confianza. Había empezado a cometer torpezas y observaba, no sin terror, que no decía lo que habría debido.

En este momento llegó otro soldado gritando.

—¡Monseñor, la vieja bruja miente! La hechicera no se ha escapado por la calle del Mouton. Las cadenas han estado echadas toda la noche y el guardacadenas no ha visto pasar a nadie.

Tristan, cuyo aspecto se hacía siniestro por momentos, interpeló a la reclusa.

—¿Qué tienes que alegar a esto?

Ella intentó de nuevo hacer frente a este contratiempo.

—Pues no lo sé, monseñor; me habré equivocado. Creo que, en efecto, ha debido pasar al otro lado del río.

—Es justo el lado opuesto—añadió el preboste.—Además no parece nada normal que haya querido volver a la Cité, por donde precisamente la estaban persiguiendo. ¡Creo que mientes, vieja!

—Y además—añadió el primer soldado, no hay barca ni a este lado del río ni al otro.

—Pues lo habrá pasado a nado—replicó la reclusa, defendiendo palmo a palmo su terreno.

—¿Acaso nadan las mujeres?—respondió el soldado.

—¡Por todos los diablos! ¡Estás mintiendo, vieja! ¡Estas mintiendo!—exclamó Tristan lleno de cólera.—Me dan ganas de dejar a la bruja y de colgarte a ti. Un cuarto de hora de tortura lo arrancaría la verdad del gaznate. ¡Andando! ¡Vas a venir con nosotros!

Ella se agarró a estas palabras con gran avidez.

—¡Como queráis, monseñor. Hacedlo si queréis. Me parece bien lo de la tortura. ¡Llevadme! ¡Pronto! ¡Pronto! ¡Vayamos ya! (Mientras tanto, pensaba la mujer, mi hija podrá salvarse).

—¡Vive Dios!—dijo el preboste,—¡qué interés en que lo pongamos en el potro! No entiendo a esta loca.

Un viejo sargento de la guardia, con la cabeza canosa, salió de las filas y dirigiéndose al preboste:

—¡Creo que en efecto está loca, monseñor! Si ha dejado escapar a la egipcia no habrá sido por culpa suya, pues no le gustan nada las gitanas. Hace ya quince años que hago la ronda y todas las noches la oigo renegar de las mujeres gitanas con todo tipo de injurias. Si la que estamos persiguiendo es, como creo, la joven bailarina de la cabra, es precisamente a ella a la que más aborrece de todas.

Gudule hizo un esfuerzo y precisó:

—A ésa sobre todo.

El testimonio unánime de los hombres de la ronda confirmó al preboste las palabras del viejo sargento. Tristan l'Hermite, desesperado por no poder sacar nada en limpio de la reclusa le volvió la espalda y ella le vio, con una ansiedad inenarrable, dirigirse hacia su caballo.

—Vamos—decía entre dientes: ¡en marcha! ¡Continuaremos la búsqueda! No descansaré hasta que hayamos colgado a la gitana.

Sin embargo aún tuvo un momento de duda antes de subir al caballo y Gudule palpitaba entre la vida y la muerte al ver pasear por toda la plaza aquel rostro inquieto. Semejaba un perro de caza que siente cerca la guarida de la presa y se resiste a abandonar el lugar. Por fin hizo un movimiento de cabeza y saltó a la silla. El corazón tan terriblemente comprimido de Gudule se dilató y dijo en voz baja echando una ojeada a su hija a la que todavía no se había atrevido a mirar desde la llegada de los soldados.

—¡Salvada!

La pobre muchacha había permanecido durante todo aquel tiempo en su rincón, sin moverse, sin respirar apenas, con la idea de la muerte de pie ante ella. No se había perdido nada de la escena entre Gudule y Tristan y todos los temores y las angustias de su madre las había también vivido ella. Había oído cómo se iban rompiendo cada uno de los hilos que formaban la cuerda que la mantenía suspendida en el abismo; más de veinte veces había creído que la cuerda se rompía y por fin comenzaba a respirar y a sentir los pies en tierra firme. En aquel momento oyó una voz que decía al preboste:

—¡Cuernos! Señor preboste, no es asunto mío, de un hombre de armas como yo, el colgar brujas. La canalla popular está allá, así que os dejo a vos este trabajo. Supongo que encontráis lógico que vaya a reunirme con mi compañía ya que se encuentra sin su capitán.

Aquella voz era la de Febo de Châteaupers. Lo que ella sintió entonces fue algo indecible. ¡Aquél era su amigo, su protector su apoyo, su asilo, su Febo! Se levantó y antes de que su madre hubiera podido impedírselo se lanzó hacia la lucera gritando:

—¡Febo! ¡A mí, Febo!

Febo ya no estaba. Acababa de desaparecer al galope por la esquina de la calle de la Coutellerie. Pero Tristan aún no se había marchado. La reclusa se precipitó sobre su hija con un rugido y la retiró violentamente hacia atrás hundiéndole sus uñas en el cuello. Una tigresa no se anda con miramientos en casos así. Pero era demasiado tarde. Tristan la había visto.

—¡He! ¡He!—exclamó con una risotada que dejó al descubierto todos sus dientes. Su cara parecía entonces el hocico de un lobo. ¡Dos ratones en la ratonera!

—Ya me parecía a mí—dijo el soldado.

Tristan le dio unas palmadas en la espalda.

—¡Eres un buen gato! Vamos—añadió,—¿dónde está Henries Cousin?

—A ver, vieja—dijo el preboste con tono severo, entréganos a esa muchacha por las buenas.

Ella se quedó mirándole como alguien que no comprende nada.

—¡Maldita sea!—exclamó Tristan.—¿Por qué tienes tanto empeño en impedir que colguemos a esa bruja, como quiere el rey? La infeliz se echó a reír con su risa feroz.

—¿Que por qué canto empeño? Porque es mi hija.

El tono con que pronunció esta última palabra hizo estremecer hasta al mismo Henriet Cousin.

—Lo lamento mucho—replicó el preboste, pero son los deseos del rey.

Ella se echó a reír de forma mucho más terrible y gritó:

—¿Y qué me importa a mí tu rey? Te digo que es mi hija.

—Perforad la pared—ordenó Tristan.

Para abrir un agujero lo bastante amplio bastaba con desmontar una hilera de piedras por debajo del tragaluz. Cuando la madre oyó cómo los picos y las palancas comenzaban a minar su fortaleza, lanzó un grito espantoso y comenzó a pasear con gran rapidez por su celda. Era ésta una costumbre de fiera salvaje, provocada por el encierro tan prolongado en aquella celda. No decía nada pero sus ojos lanzaban fuego. Los soldados miraban con el corazón lleno de angustia.

De pronto cogió su adoquín con las dos manos y lo lanzó sobre los trabajadores. Por fortuna no alcanzó a nadie pues sus manos temblaban al lanzarlo y fue a detenerse a los pies del caballo de Tristan. Los dientes de la reclusa rechinaban.

La reclusa se había sentado junto a su hija y la cubría con su cuerpo. Su mirada estaba fija sobre ella y escuchaba a la infeliz muchacha, que no se movía y que únicamente murmuraba en voz baja:

—¡Febo! ¡Febo!

La madre, al ver el camino abierto, se echó en la brecha cerrándolo con su cuerpo, agitando los brazos, golpeando la piedra con su cabeza y gritando con una voz ronca ya y que, a duras penas, podía entenderse.

—¡Socorro! ¡Fuego! ¡Fuego!

—Coged a la muchacha—ordenó Tristan impasible.

La madre se quedó mirando a los soldados de forma tan terrible que habrían preferido retroceder en vez de avanzar.

—¡Vamos ya!—repitió el preboste. ¡Tú el primero, Henriet Cousin!

Pero nadie se movió.

El preboste empezó a lanzar juramentos.

—¡Por la Cruz de Cristo! ¡Y son mis soldados! ¡Les asusta una mujer!

—Monseñor—respondió Henriet, ¿llamáis a esto una mujer?

—Tiene las melenas de un león—añadió otro.

No vamos a intentar dar una idea de sus gestos, de su acento, de las lágrimas que sorbía al hablar, de cómo juntaba las manos y luego las retorcía, de sus sonrisas desgarradoras, de sus miradas ahogadas por las lágrimas, de sus gemidos y de sus suspiros, de sus gritos sobrecogedores que se mezclaban con sus palabras desordenadas, locas a inconexas. Cuando se hubo callado, Tristan frunció el ceño, pero fue más bien para ocultar una lágrima que se asomaba a sus ojos de tigre. Se sobrepuso a esta debilidad y dijo con sequedad:

—Así lo quiere el rey.

Henriet Cousin se detuvo con todo lo que llevaba a rastras al pie mismo de la fatal escalera y, casi sin respiración por lo enternecido que se encontraba, pasó la cuerda alrededor del adorable cuello de la muchacha. La desventurada joven sintió el horrible contacto del cáñamo. Abrió los ojos y vio el brazo descarnado de la horca de piedra, extendido por encima de su cabeza. Entonces dio una fuerte sacudida y gritó con voz alta y desgarradora.

—¡No! ¡No! ¡No quiero!

La madre, que tenía la cabeza oculta entre el vestido de su hija, no pronunció una sola palabra, pero se vio cómo se estremecía todo su cuerpo y se oyó también el ruido precipitado y casi continuo de los besos que daba a su hija. Este momento fue aprovechado por el verdugo para desanudar con rapidez los brazos con los que estrechaba a la infeliz condenada. Bien por agotamiento o bien por desesperación ella no opuso ninguna resistencia, así, pues, echó a la joven sobre sus hombros, desde donde la encantadora criatura colgaba, graciosamente doblada en dos, y luego puso el pie en la escalera para subir.

En aquel momento la madre, de cuclillas en el suelo, abrió los ojos y, sin lanzar ningún grito, se puso en pie con una expresión terrible en su rostro; después, como un animal salvaje se lanza sobre su presa, ella se lanzó sobre la mano del verdugo y le mordió. Fue todo rápido, como un relámpago. El verdugo lanzó un alarido de dolor. Se acercaron a él y con gran esfuerzo lograron retirar su mano ensangrentada de entre los dientes de la madre que se había quedado allí inmóvil y silenciosa. La retiraron con cierta violencia y se observó entonces que su cabeza caía pesadamente al suelo. La levantaron y volvió a caer. Estaba muerta.

El verdugo, que no había soltado a la muchacha, empezó otra vez a subir la escalera.

XXII. LA CREATURA BELLA BIANCO VESTITA (DANTE)

Cuando Quasimodo vio que la celda estaba vacía, que la Esmeralda ya no se encontraba en ella, que mientras él la defendía alguien se la había llevado, se cogió los cabellos con ambas manos y pateó el suelo de sorpresa y de dolor. Luego echó a correr por toda la iglesia en busca de su gitana, lanzando extraños alaridos hacia todos los rincones y sembrando de cabellos rojos todo el suelo de la catedral. Coincidió precisamente con el momento en que los arqueros del rey entraban victoriosos en Nuestra Señora, buscando también a la gitana. Quasimodo les ayudó en esta tarea, sin sospechar nada, el pobre sordo, de sus fatales intenciones pues creía que los enemigos de la gitana eran los truhanes.

No decía nada; sólo a grandes intervalos un sollozo estremecía violentamente todo su cuerpo; era un sollozo sin lágrimas, como esos relámpagos de verano que no hacen ruido.

Parece que fue entonces cuando, buscando en el fondo de su ensoñación quién pudo haber sido el inesperado raptor de la gitana, pensó en el archidiácono.

Se acordó de que sólo Claude tenía una llave de la escalera que llevaba a la celda y recordó también sus tentativas nocturnas sobre la joven, colaborando él mismo en la primera a impidiendo la segunda. Pensó en mil detalles más y llegó a la convicción de que el archidiácono le había robado a la gitana. Sin embargo, era tal su respeto hacia el sacerdote; su reconocimiento, su entrega y su amor para con este hombre tenían raíces tan profundas en su corazón, que resistían, incluso en aquellos momentos, a las garras de los celos y de la desesperación. Pensaba que el archidiácono había sido el causante, y la cólera de sangre y de muerte que hubiera sentido contra cualquier otro, desde el momento en que se trataba de Claude, en aquel pobre sordo se transformaba en un aumento de su dolor.

En el momento en que sus pensamientos estaban así concentrados en el sacerdote y cuando el alba blanqueaba ya los arbotantes,

observó en el piso superior de Nuestra Señora, en el recodo de la balaustrada exterior que gira allí en torno al ábside, una figura en movimiento. Aquella persona venía hacia él y la reconoció enseguida; era el archidiácono. Claude caminaba con paso lento y grave, sin mirar hacia adelante. Se dirigía hacia la torre septentrional pero su rostro miraba hacia otro lado, hacia la orilla izquierda del Sena. Mantenía la cabeza alta como si intentara ver algo por encima de los tejados. Los búhos mantienen con relativa frecuencia esta misma actitud oblicua; vuelan hacia un punto y miran hacia otro. El sacerdote pasó así por encima de Quasimodo sin verle.

El sordo, a quien esta brusca aparición había petrificado, le vio perderse por la puerta de la escalera de la torre septentrional. Al llegar a lo alto de la torre, antes de salir de la oscuridad de la escalera y entrar en la plataforma, examinó con precaución dónde se encontraba el clérigo. Éste le daba la espalda en aquel momento. Quasimodo avanzó silenciosamente hacia él para ver lo que estaba mirando con tanta atención. El clérigo se hallaba tan absorto en sus pensamientos que no oyó a Quasimodo.

París es un magnífico y encantador espectáculo; sobre todo el París de entonces, visto desde lo alto de las torres de Nuestra Señora entre la luz fresca de un amanecer de verano.

Debía tratarse de un día del mes de julio. El cielo estaba sereno. Algunas estrellas tardías se iban apagando aquí y allá pero había una que permanecía aún, con brillo intenso, hacia el levante, en lo más claro del cielo. El sol estaba ya a punto de salir y París comenzaba a desperezarse. Toda clase de rumores flotaban y se dispersaban por esta ciudad, a medio desperezarse aún. Por el oriente, la brisa mañanera desplazaba hacia el cielo algunas nubecillas arrancadas a las brumas de las colinas.

Pero el archidiácono no oía ni miraba nada de todo esto. Era uno de esos hombres para los que no existen amaneceres, ni pajarillos, ni flores. En aquel inmenso horizonte que abarcaba tantas cosas a su alrededor, su contemplación se reducía a un solo punto.

Quasimodo ardía en deseos de preguntarle lo que había hecho con la gitana pero el archidiácono parecía encontrarse fuera del mundo en aquel momento. Estaba pasando visiblemente por uno de esos minutos violentos de la existencia en los que no se es capaz de notar que se está hundiendo la tierra. Tenía los ojos invariablemente fijos en un lugar determinado y permanecía inmóvil y silencioso. Aquel silencio y aquella inmovilidad encerraban algo tan temible que hacían temblar al siniestro campanero y no osaba afrontarlos.

Un hombre arrastraba por el suelo una cosa blanca a la que iba agarrada algo negro y se detuvo al llegar junto al cadalso.

El hombre aquel empezó a montar la escalera y fue entonces cuando Quasimodo lo vio todo claramente. Llevaba una mujer a la espalda, una muchacha vestida de blanco y con una cuerda al cuello. Quasimodo la reconoció; era ella.

El hombre llegó a lo alto de la escalera y allí empezó a preparar el nudo. Entonces el clérigo, para poder verlo mejor, se puso de rodillas en la balaustrada.

De pronto el verdugo empujó bruscamente la escalera con su talón y Quasimodo, que hacía ya un rato que estaba conteniendo la respiración, vio cómo se balanceaba en el otro extremo de la cuerda, y a cuatro metros del suelo, la desventurada muchacha, con el verdugo a horcajadas sobre sus hombros. La cuerda giró varias veces sobre sí misma y Quasimodo vio cómo horribles convulsiones se producían en todo el cuerpo de la gitana. El sacerdote, por su parte, con el cuello estirado y los ojos fuera de las órbitas, contemplaba aquel espantoso cuadro del hombre y la muchacha; de la araña y la mosca.

En el momento más horrible una risa demoniaca, una risa imposible de encontrar en un hombre, estalló en el rostro lívido del archidiácono.

Quasimodo no podía oírla pero la vio. El campanero retrocedió unos pasos y se colocó tras el archidiácono y, de repente, abalanzándose con furia sobre él, con sus dos enormes manos, le dio un empujón en la espalda, lanzándole al abismo al que Claude estaba asomado.

El sacerdote exclamó:

—¡Maldición!

Y cayó. La gárgola sobre la que se hallaba le detuvo en su caída. Se agarró a ella desesperadamente con ambas manos y al abrir la boca para lanzar un segundo grito, vio pasar a Quasimodo por el borde de la balaustrada y se calló.

Estaba colgado del abismo. Una caída de casi setenta pies y el suelo. En aquella terrible situación, el archidiácono no dijo ni una sola palabra, ni profirió un solo gemido; lo único que hizo fue retorcerse sobre la gárgola con esfuerzos inauditos para lograr elevarse, pero sus manos no podían agarrarse al granito y sus pies arañaban los negruzcos muros sin conseguir afianzarse. Quienes hayan subido a las torres de Nuestra Señora saben que hay un saliente de piedra justo debajo de la balaustrada. Era exactamente ahí donde se debatía el miserable archidiácono. No se debatía en un muro cortado a pico sino con un muro que se escapaba bajo sus pies.

Para sacarle del abismo, Quasimodo no habría tenido más que tenderle la mano, pero ni siquiera le miró. Estaba mirando hacia la Grève a la horca; a la gitana. El sordo había apoyado los codos en la balaustrada, en el mismo lugar en donde momentos antes se hallaba el archidiácono y allí, sin apartar su mirada del único objeto que, en aquellos momentos, existía para él en el mundo, permanecía inmóvil y mudo, como fulminado por el rayo, y un largo reguero de llanto fluía silencioso de aquel ojo que hasta entonces no había vertido más que una sola lágrima.

El archidiácono notaba cómo aquel tubo se iba doblando lentamente. Se decía, el miserable, que cuando sus manos se partieran por la fatiga, cuando su sotana acabara de desgarrarse y cuando aquella tubería se doblara por completo, entonces habría que caer y el pánico le roía las entrañas. Cuando alzó la cabeza tenía cerrados los ojos y sus cabellos estaban totalmente erizados. Era algo espantoso el silencio entre aquellos dos hombres. Mientras el archidiácono agonizaba de aquella manera horrible, a unos pasos de él, Quasimodo lloraba y seguía mirando a la plaza.

Cuando el archidiácono se convenció de que todos sus esfuerzos sólo servían para debilitar el frágil punto de apoyo que le quedaba, tomó la decisión de no moverse. Se encontraba, pues, allí, agarrado a la gárgola, casi sin respirar y moviéndose apenas, pues, en cuanto a movimientos, sólo tenía el de esa convulsión mecánica que se nota en el vientre cuando, durante los sueños, se siente uno caer al vacío. Miraba una tras otra las impasibles esculturas de la torre, suspendidas sobre el abismo, como él mismo, pero sin terror alguno para ellas y sin piedad para él. Todo a su alrededor era de piedra; ante sus ojos los monstruos con sus fauces abiertas, y abajo, en el fondo, la plaza, el empedrado. Encima de su cabeza, Quasimodo llorando.

Había grupos de curiosos que intentaban adivinar quién podría ser el loco que se divertía de manera tan extraña. El sacerdote les oía decir, pues aunque debilitadas, sus voces llegaban hasta él claras:

—¡Ese hombre va a romperse la cabeza!

Quasimodo seguía llorando.

Una caída desde tal altura es muy raramente perpendicular y el archidiácono, lanzado así al espacio, cayó primero con la cabeza hacia abajo y los brazos extendidos para dar después varias vueltas sobre sí mismo. El viento le empujó contra el tejado de una casa en donde el desgraciado comenzó a destrozarse, aunque no estaba aún muerto cuando cayó sobre él. El campanero le vio una vez más intentar agarrarse al piñón con sus uñas, pero el piano era demasiado inclinado y él ya no tenía fuerzas. Se deslizó rápidamente por el tejado como una teja que se suelta y fue a rebotar contra el empedrado. Y allí ya no volvió a moverse.

Quasimodo alzó entonces su ojo hacia la gitana de la que veía, a lo lejos, cómo su cuerpo, colgado en la horca, se estremecía aún, bajo su vestido blanco, con los últimos estertores de la agonía; después la dirigió de nuevo hacia el cuerpo del archidiácono, aplastado al pie de la torre, y ya sin forma humana, y exclamó con un sollozo que agitó su pecho desde lo más profundo.

—¡Oh! ¡Todo lo que he amado!

XXIII. EL CASAMIENTO DE FEBO

Al anochecer de aquel día, cuando los oficiales de justicia del obispo procedieron al levantamiento del cadáver dislocado del archidiácono,

Quasimodo había desaparecido de Nuestra Señora.

Corrieron muchos ruidos sobre el tema. Todos estaban seguros de que había llegado el día en que, según el pacto el demonio debía llevarse a Claude Frollo, es decir, al brujo. Se supuso que le había roto el cuerpo para apoderarse de su alma, como esos monos que rompen la cáscara para comerse la nuez.

Por eso el archidiácono no fue inhumado en tierra sagrada.

Luis XI murió al año siguiente, en el mes de agosto de 1483.

En cuanto a Pierre Gringoire, consiguió salvar a la cabra y obtuvo muchos éxitos en la tragedia. Parece que, después de haber

probado la astrología, la filosofía, la arquitectura, la hermética y un poco todas esas locuras, volvió a la tragedia que es la mayor de las locuras. Era justamente lo que él mismo llamaba haber hecho un final trágico. Febo de Châteaupers tuvo también un fin trágico: se casó.

XXIV. CASAMIENTO DE QUASIMODO

Acabamos de decir que Quasimodo había desaparecido de la catedral el día de la muerte de la gitana y del archidiácono. No se le volvió a ver, en efecto, y no se supo lo que había sido de él.

La noche siguiente al suplicio de la Esmeralda, los encargados del patíbulo descolgaron su cuerpo de la horca, y lo habían llevado, según costumbre a los sótanos de Montfaucon.

Montfaucon era, al decir de Sauval, «el más antiguo y soberbio patíbulo del reino».

Unos dos años o, más concretamente, dieciocho meses después de los acontecimientos con los que se termina esta historia, cuando vinieron a buscar a Montfaucon, el cadáver de Olivier le Daim, que había sido ahorcado dos días antes y a quien Carlos VIII concedía la gracia de ser enterrado en Saint Laurent, en mejor compañía, se encontraron entre aquel montón horrible de restos humanos dos esqueletos, uno de los cuales estaba extrañamente abrazado al otro. Uno de los dos esqueletos, que era el de una mujer, conservaba aún algunos jirones de vestido, con todas las apariencias de haber sido un tejido blanco. Se veía también en torno a su cuello un collar con cuentas de azabache, y un bolsito de seda, adornado con abalorios verdes que aparecía abierto y vacío. Era tan escaso el valor de aquellos objetos que no habían llegado a interesar al verdugo. El otro esqueleto que tan estrechamente estaba abrazado al primero, era de un hombre. Se observó que tenía desviada la columna vertebral, que la cabeza se unía directamente con los omoplatos y una de sus piernas era más corta que la otra. No presentaba, por otra parte, ninguna ruptura vertebral en la nuca y era evidente que no había muerto ahorcado. El hombre a quien hubiera pertenecido debía, pues, haber llegado hasta allí y allí haber muerto.

Cuando se pretendió separarlo del otro esqueleto al que estaba abrazado, se deshizo en polvo.

FIN

Esta edición se terminó de imprimir en enero de 2016,
en los talleres de Nóstica Editorial S.A.C.
Jr. Ica 388 Of. 502 / Lima 01
Lima - Perú